LA DERNIÈRE NUIT DU RAÏS

YASMINA KHADRA

LA DERNIÈRE NUIT DU RAÏS

roman

Julliard

© Éditions Julliard, Paris, 2015
ISBN 978-2-260-02418-7

Si tu veux t'acheminer
Vers la paix définitive,
Souris au destin qui te frappe
Et ne frappe personne.

Omar Khayyam

Syrte, District 2
Nuit du 19 au 20 octobre 2011

Quand j'étais enfant, il arrivait à mon oncle maternel de m'emmener dans le désert. Pour lui, plus qu'un retour aux sources, cette excursion était une ablution de l'esprit.

J'étais trop jeune pour comprendre ce qu'il cherchait à m'inculquer, mais j'adorais l'écouter.

Mon oncle était un poète sans gloire et sans prétention, un Bédouin pathétique d'humilité qui ne demandait qu'à dresser sa tente à l'ombre d'un rocher et tendre l'oreille au vent surfant sur le sable, aussi furtif qu'une ombre.

Il possédait un magnifique cheval bai brun, deux sloughis alertes, un vieux fusil avec lequel il chassait le mouflon, et savait mieux que personne piéger la gerboise, prisée pour ses vertus médicinales, ainsi que le fouette-queue, qu'il revendait au souk, empaillé et verni.

Lorsque tombait la nuit, il allumait un feu de camp et, après un repas sommaire et un verre de thé trop sucré, il se laissait absorber par ses rêveries. Le regarder communier avec le silence et la nudité des regs était pour moi un instant de grâce.

Par moments, il me semblait que son esprit s'extirpait de son corps pour ne me laisser, en guise de compagnie, qu'un épouvantail aussi inexpressif que l'outre en peau de chèvre pendouillant à l'entrée de la guitoune. Je me sentais alors seul au monde et, redoutant brusquement les mystères du Sahara qui gravitaient autour de moi telle une escouade de djinns, je le secouais du bout des doigts pour qu'il me revienne. Il émergeait de son apnée, les yeux étincelants, et me souriait. Jamais je ne connaîtrais sourire plus beau que le sien, ni sur le visage des femmes que *j'honorai* ni sur celui des courtisans que j'élevai dans mon estime. Réservé, presque effacé, mon oncle avait le geste lent et l'émotion discrète. Sa voix était à peine perceptible, pourtant, lorsqu'il s'adressait à moi, elle résonnait à travers mes fibres comme un chant. Il disait, les yeux perdus dans le scintillement du firmament, qu'il y avait là-haut un astre pour chaque brave sur terre. Je lui avais demandé de me montrer le mien. Son doigt avait désigné la lune, sans hésitation, comme s'il s'agissait d'une évidence. Depuis, chaque fois que je levais les yeux au ciel, je voyais la lune pleine. Toutes les nuits.

Ma pleine lune à moi. Jamais égratignée. Jamais voilée. Éclairant ma voie. Si belle qu'aucune féerie ne lui arrivait à la cheville. Si rayonnante qu'elle faisait de l'ombre aux astres alentour. Si grande qu'elle paraissait à l'étroit dans l'infini.

Mon oncle jurait que j'étais l'enfant béni du clan des Ghous, celui qui restituerait à la tribu des Kadhafa ses épopées oubliées et son lustre d'antan.

Ce soir, soixante-trois ans plus tard, il me semble qu'il y a moins d'étoiles dans le ciel de Syrte. De ma pleine lune, il ne subsiste qu'une éraflure grisâtre à peine plus large qu'une rognure d'ongle. Toute la romance du monde est en train de suffoquer dans les fumées s'échappant des maisons incendiées tandis que l'air, chargé de poussière et de baroud, s'amenuise misérablement dans le souffle des roquettes. Le silence qui, autrefois, berçait mon âme a quelque chose d'apocalyptique, et la mitraille, qui le chahute par endroits, s'évertue à contester un mythe hors de portée des armes, c'est-à-dire moi, le frère Guide, le visionnaire infaillible né d'un miracle, que l'on croyait farfelu et qui demeure debout comme un phare au milieu d'une mer démontée, balayant de son bras lumineux et les ténèbres traîtresses et l'écume des vagues en furie.

J'ai entendu un de mes gardes retranchés dans l'obscurité dire que nous étions en train de vivre la *nuit du doute* et se demander si l'aube allait nous projeter sous les feux de la rampe ou bien nous livrer aux flammes du bûcher.

Ses propos m'ont navré, mais je ne l'ai pas rappelé à l'ordre. Ce n'était pas nécessaire. Avec un minimum de présence d'esprit, il se serait abstenu de proférer pareils *blasphèmes*. Il n'est pire affront que de douter en ma présence. Si je suis encore en vie, c'est la preuve que rien n'est perdu.

Je suis Mouammar Kadhafi. Cela devrait suffire à garder la foi.

Je suis celui par qui le salut arrive.

Je ne crains ni les ouragans ni les mutineries. Touchez donc mon cœur ; il cadence déjà la débandade programmée des félons...

Dieu est avec moi !

Ne m'a-t-Il pas élu parmi les hommes pour tenir la dragée haute aux plus grandes puissances et à leur voracité hégémonique ? Je n'étais qu'un jeune officier désabusé dont les coups de gueule ne dépassaient guère le contour de ses lèvres, mais j'ai osé dire non au fait accompli, crier « Ça suffit ! » à l'ensemble des abus, et j'ai renversé le cours du destin comme on retourne les cartes qu'on refuse de servir. C'était l'époque où l'épée tranchait toute tête qui dépassait, sans procès et sans préavis. J'étais conscient des risques et je les ai assumés avec une froide désinvolture, certain qu'une cause juste se doit d'être défendue puisque telle est la condition majeure pour mériter d'exister.

Parce que ma colère était saine et ma détermination légitime, le Seigneur m'a élevé par-dessus les étendards et les hymnes pour que le monde entier me voie et m'entende.

Je refuse de croire que le glas des Croisés sonne pour moi, le musulman éclairé qui a toujours triomphé des infamies et des complots et qui sera encore là lorsque tout sera dévoilé. Ce qui me conteste aujourd'hui – ce simulacre d'insurrection, cette guerre bâclée que l'on mène contre ma légende – n'est qu'une épreuve de plus sur ma feuille de route. Ne sont-ce pas les épreuves qui forgent les dieux ?

Je sortirai du chaos plus fort que jamais, tel le phénix renaissant de ses cendres. Ma voix portera plus loin que les fusées balistiques ; je ferai taire les orages rien qu'en tapant du doigt sur le pupitre de ma tribune.

Je suis Mouammar Kadhafi, la mythologie faite homme. S'il y a moins d'étoiles ce soir dans le ciel de Syrte et que ma lune paraît aussi mince qu'une rognure d'ongle, c'est pour que je demeure la seule constellation qui compte.

Ils peuvent m'envoyer tous les missiles dont ils disposent, je ne verrai que des feux d'artifice me célébrant. Ils peuvent soulever les montagnes, je ne percevrai dans leurs éboulis que les clameurs de mes bains de foule. Ils peuvent déchaîner contre mes anges gardiens tous leurs vieux démons, aucune force maléfique ne me déviera de ma *mission* puis-qu'il était écrit, avant même que le village de Qasr Abou Hadi ne m'accueille dans son berceau, que je serais celui qui vengerait les offenses faites aux peuples opprimés, en mettant à genoux et le Diable et ses suppôts.

— Frère Guide...

Une étoile filante vient de traverser le ciel. Et cette voix ! D'où sort-elle ?

Un frisson me parcourt de la tête aux pieds. Un tumulte d'émotions se déclenche à travers mon être. Cette voix...

— Frère Guide...

Je me retourne.

Ce n'est que l'ordonnance, roide d'obséquiosité, debout dans l'embrasure de la porte qui fut celle d'une salle de séjour heureuse.

— Oui ?

— Votre dîner est prêt, monsieur.

— Apporte-le-moi ici.

— Il serait préférable de le prendre dans la pièce d'à côté. Nous avons obstrué les fenêtres et allumé des cierges. Ici, la moindre lueur trahirait votre présence. Il y a peut-être des snipers dans les immeubles d'en face.

1.

L'ordonnance me précède dans la salle atte-
nante. À la lumière troublante des cierges, qu'ac-
centuent les tentures masquant les fenêtres, l'endroit
m'attriste davantage. Une armoire est couchée sur
le flanc, la glace brisée ; une banquette matelassée
exhibe ses entrailles ; des tiroirs fracturés gisent çà
et là ; sur le mur, le portrait d'un père de famille
bat de l'aile, criblé de balles.

C'est mon fils Moutassim, responsable de la
défense de Syrte, qui a choisi pour mes soldats, en
guise de quartier général, une école désaffectée au
cœur du District 2. L'ennemi m'imagine terré
quelque part dans un palais fortifié, incapable de
m'adapter aux choses rudimentaires. Il ne lui viendrait pas à l'idée de me rechercher dans un endroit
aussi affligeant. A-t-il oublié le Bédouin que je
suis, le seigneur des humbles et le plus humble
des seigneurs qui saura trouver l'aisance dans la
frugalité et le confort sur un simple banc de sable ?
Enfant, j'ai connu la faim, la culotte rafistolée et

les savates trouées, et j'ai longtemps traîné pieds
nus sur les cailloux brûlants. La misère était mon
élément. Je ne mangeais qu'une fois sur deux, toujours la même nourriture à base de tubercules lorsque
le riz venait à manquer. La nuit, les genoux collés
au ventre sous ma couverture, il m'arrivait de rêver
d'une cuisse de poulet jusqu'à me noyer dans ma
salive. Plus tard, si j'ai vécu dans le faste, c'était
pour lui marcher dessus et prouver ainsi que tout ce
qui a un prix ne mérite pas d'être sanctifié, qu'aucun
graal ne saurait élever une gorgée de vin au rang
d'une potion magique, que l'on soit couvert de
guenilles ou de soie, on n'est jamais que soi... et
je suis Kadhafi, souverain aussi bien sur un trône
qu'assis sur une borne kilométrique.

J'ignore à qui appartenait la demeure mitoyenne
de l'école où je réside depuis quelques jours – probablement à l'un de mes fidèles compatriotes,
sinon comment expliquer la disgrâce dans laquelle
elle a sombré. Les traces de violence sont récentes,
mais la bâtisse évoque déjà une ruine. Des vandales sont passés par là, pillant les objets de valeur
et dévastant ce qu'ils ne pouvaient pas emporter.

L'ordonnance s'est donné un mal fou pour
dépoussiérer un fauteuil et dresser une table
digne de me recevoir. Il les a recouverts de draps
pour camoufler leurs « blessures ». Sur un plateau
récupéré je ne sais où, une assiette en porcelaine
me propose un semblant de repas : du corned-beef
enrobé de gelée découpé avec soin, une tranche de

fromage fondu, des biscuits de soldat, des ron-
delles de tomate et une orange morcelée baignant
dans son jus au fond d'un bol. La logistique ne
suit plus et l'ordinaire ne suffit guère à nourrir ma
garde prétorienne.

L'ordonnance m'invite à prendre place sur le
fauteuil et se tient droit en face de moi. Sa gravité
paraîtrait dérisoire dans le gâchis alentour si, sur
son visage hâlé, ses traits ne valaient pas, à eux
seuls, les clauses inviolables du serment. Cet
homme m'aime plus que tout au monde ; il don-
nerait sa vie pour moi.

— Quel est ton nom ?

L'homme est surpris par ma question. Sa
pomme d'Adam tressaute dans son cou rugueux.

— Mostefa, frère Guide.

— Quel âge as-tu ?

— Trente-trois ans.

— Trente-trois ans, répété-je, attendri par sa
jeunesse. J'ai eu ton âge, il y a une éternité. C'est
si loin que je ne m'en souviens presque pas.

Ne sachant pas s'il doit dire quelque chose ou
se taire, l'ordonnance entreprend d'essuyer autour
du plateau.

— Tu es à mon service depuis quand, Mostefa ?

— Depuis treize ans, monsieur.

— Je n'ai pas l'impression de t'avoir vu avant.

— Je remplace les absents... Je m'occupais du
parc auto.

— Où est passé l'autre, le rouquin ? Il s'appelait comment déjà ?

— Maher.

— Non, pas Maher. Le grand rouquin, celui qui a perdu sa mère dans un crash d'avion.

— Saber ?

— Oui, *Sabri*. Je ne le vois plus.

— Il est mort, monsieur. Il y a un mois, il est tombé dans une embuscade. Il s'est battu comme un lion. Il a même tué plusieurs de ses assaillants avant de succomber. Une roquette a touché son véhicule. On n'a pas pu récupérer son corps.

— Et Maher ?

L'ordonnance ploie la nuque.

— Est-il mort, lui aussi ?

— Il s'est livré, il y a trois jours. Il a profité d'une opération de ravitaillement pour se rendre à l'ennemi.

— C'était un brave garçon, amusant et increvable. On ne parle sûrement pas de la même personne.

— J'étais avec lui, monsieur. Quand notre camion a rebroussé chemin à la vue d'un barrage rebelle, Maher a sauté de la cabine et a couru vers les traîtres en levant les mains. Le sergent lui a tiré dessus sans l'atteindre. Le sergent dit que de toutes les façons Maher est fichu. Les rebelles ne font pas de prisonniers. Ils les torturent, ensuite ils les exécutent. Maher est en train de pourrir dans un charnier à l'heure qu'il est.

Il n'ose pas relever la tête.

— Tu es de quelle tribu, mon garçon ?

— Je suis né à... Benghazi, monsieur.

Benghazi ! Rien qu'à ce nom, j'ai envie de vomir jusqu'à provoquer un tsunami qui raserait cette ville maudite et l'ensemble des hameaux alentour. Tout est parti de là-bas, pareil à une pandémie foudroyante, possédant les âmes comme un démon. J'aurais dû l'anéantir dès le premier jour, traquer les insurgés *venelle par venelle*, *bâtisse par bâtisse*, dépiauter les brebis galeuses en place publique pour que chaque malintentionné recouvre ses esprits et s'abstienne de subir le même sort.

L'ordonnance perçoit la fureur en train de sourdre en moi. Si la terre venait à s'ouvrir brusquement sous ses pieds, il n'hésiterait pas à se jeter dedans.

— Je suis navré, monsieur. J'aurais aimé naître dans un égout ou bien sur une felouque. J'ai honte d'avoir vu le jour dans cette ville de malheur, de m'être attablé au café avec ces ingrats.

— Ce n'est pas ta faute. Que fait ton père ?

— Il est à la retraite. Il était facteur.

— As-tu de ses nouvelles ?

— Non, monsieur. Je sais seulement qu'il a fui la ville.

— Des frères ?

— Un seul, monsieur. Il est adjudant dans l'armée de l'air. J'ai appris qu'il a été blessé lors d'un raid aérien de l'Otan.

Son menton est à deux doigts de disparaître dans le creux de son cou.

— Es-tu marié ? lui demandé-je, pour le ménager.

— Oui, monsieur.

Je remarque le bracelet en cuir qui lui enserre le poignet ; il se dépêche de le cacher sous sa manche.

— Qu'est-ce que c'est ?

— Un gri-gri swahili, monsieur. Je l'ai acheté au marché nègre.

— Pour ses vertus talismaniques ?

— Non, monsieur. Il m'a plu, avec ses fils rouges et verts tressés. Je voulais l'offrir à ma fille aînée. Elle ne l'a pas aimé.

— On ne refuse pas un cadeau.

— Ma fille ne me voit pas souvent, alors elle boude mes présents.

— Tu as combien d'enfants ?

— Trois filles. L'aînée a treize ans.

— Comment s'appelle-t-elle ?

— Karam.

— Joli prénom... Depuis quand n'as-tu pas vu tes enfants ?

— Peut-être six ou huit mois.

— Tes filles te manquent-elles ?

— Autant que vous manquez à notre peuple, frère Guide.

— Je ne suis parti nulle part.

— Ce n'est pas ce que je voulais dire, monsieur.

Il tremble. Non par crainte. Cet homme me vénère. Tout son être en frémit.

— Je vais demander à Hassan de te renvoyer chez toi.

— Pourquoi, monsieur ?

— Tes filles te réclament.

— Tout un peuple vous réclame, frère Guide. Ma famille n'est qu'une goutte d'eau dans l'océan. Être à vos côtés en ce moment est un privilège et un bonheur absolus.

— Tu es un brave garçon, Mostefa. Tu mérites de rejoindre tes filles.

— Je vous désobéirais pour la première fois de ma vie et j'en serais si affecté que j'en mourrais.

Il est sincère, Mostefa. Ses yeux miroitent de ces larmes que l'on ne décèle que chez les âmes pures.

— Pourtant, il le faut.

— Ma place est auprès de vous, frère Guide. Je ne l'échangerais pas contre une place au paradis. Sans vous, il n'y a de salut pour personne, encore moins pour mes filles.

— Assieds-toi, lui dis-je en lui indiquant mon fauteuil.

— Je ne me le permettrais pas.

— C'est un ordre.

Une gêne atroce lui distord la figure.

— Montre ta langue.

— Je ne vous ai jamais menti, frère Guide.

— Montre ta langue.

Il déglutit encore et encore, le visage légèrement de biais. Ses lèvres s'écartent sur un bout de langue blanche comme de la craie.

— Tu jeûnes depuis combien de jours, Mostefa ?

— Pardon ?...

— Ta langue est laiteuse. Cela prouve que tu n'as rien mangé depuis un certain temps.

— Frère...

— Je sais que mes repas sont prélevés sur vos rations, que beaucoup parmi mes soldats jeûnent pour que j'aie quelque chose à me mettre sous la dent.

Il baisse la tête.

— Mange, lui dis-je.

— Je ne me le permettrais pas.

— Mange ! J'ai besoin que mes fidèles tiennent sur leurs jambes.

— La force est dans les cœurs, non dans le ventre, frère Guide. Affamé, assoiffé, amputé, je saurais trouver la force de vous défendre. Je suis capable d'aller en enfer chercher la flamme qui réduirait en cendres toute main osant se poser sur vous.

— Mange.

L'ordonnance tente de protester une fois encore, mon regard l'en dissuade.

— J'attends, lui dis-je.

Il renifle avec force pour se donner du cran, crispe les mâchoires puis, d'une main fiévreuse, il effleure un pain de guerre. Je le sens puiser au plus profond de son être le courage de refermer les doigts sur le biscuit. Son souffle me parvient par saccades.

— Que s'est-il passé, Mostefa ?

Le morceau de galette, qu'il n'a pas fini de mâcher, l'étrangle.

Il ne comprend pas ma question.

— Pourquoi font-ils ça ?

Il saisit le sens de mon propos, repose le biscuit.

— Ils sont devenus fous.

— Ce n'est pas une réponse.

— Je n'en ai pas d'autre, monsieur.

— Ai-je été injuste avec mon peuple ?

— Non, s'écrie l'ordonnance. Jamais, au grand jamais notre pays ne connaîtrait guide mieux éclairé que vous, père plus tendre. Nous n'étions que des nomades poussiéreux qu'un roi fainéant prenait pour un paillasson et vous avez fait de nous un peuple libre que l'on envie.

— Dois-je croire que les roquettes qui explosent dehors ne sont que les pétards d'une fête que je n'arrive pas à situer ?

L'ordonnance rentre le cou dans les épaules comme si, d'un coup, il recevait sur le dos toute la honte des félons.

— Ils ont sûrement une raison, ne trouves-tu pas ?

— Je ne vois pas laquelle, monsieur.

— Il t'arrivait de rentrer chez toi pendant les congés. Précisément à Benghazi d'où la rébellion

est partie. Tu allais dans les cafés, dans les mosquées, dans les parcs. Tu as dû entendre certains
médire de moi, non ?

— Les gens ne vous critiquaient pas en public,
frère Guide. Nos services avaient des oreilles
partout. Je n'ai entendu dire que du bien à votre
sujet. D'ailleurs, je n'aurais permis à personne de
vous manquer de respect.

— Mes services étaient sourds et aveugles. Ils
n'ont *rien* vu venir.

Désorienté, il se met à se triturer les mains.

— D'accord, admets-je. Les gens se taisent en
public. C'est normal. Mais les langues se délient
en privé. À moins que tu ne sois atteint d'autisme,
tu as dû entendre, ne serait-ce qu'une fois dans ta
vie, un proche, un cousin, un oncle dire du mal
de moi.

— Nous t'adorons tous dans notre famille.

— J'adore mes fils. Cela ne m'empêche pas de
les désapprouver parfois. Dans ta famille, on
m'aime, je n'en disconviens pas. Cependant, certains ont dû me reprocher de petites choses, des
décisions rapides, des erreurs ordinaires.

— Je n'ai jamais entendu un proche contester
quoi que ce soit venant de vous, monsieur.

— Je ne te crois pas.

— Je le jure, monsieur. Personne dans ma
famille ne vous critique.

— Ce n'est pas possible. Le prophète Mohammed lui-même est critiqué.

— Pas vous... enfin pas dans ma famille.

Je croise les bras sur la poitrine et le dévisage un long moment en silence.

Je le charge de nouveau :

— Pourquoi se rebelle-t-on contre moi ?

— Je l'ignore, monsieur.

— Serais-tu bouché à l'émeri ?

— Je ne suis qu'un préposé au parc auto, monsieur.

— Cela ne t'exempte pas d'avoir une opinion.

Il commence à transpirer et à manquer d'air.

— Réponds-moi. Pourquoi se rebelle-t-on contre moi ?

Il cherche ses mots comme on cherche un abri sous les bombes. Ses doigts sont presque écorchés et sa pomme d'Adam s'affole. Il a le sentiment d'être pris au piège, que son destin repose sur sa réponse.

Il hasarde :

— Quelquefois, trop de quiétude ennuie, et certains cherchent à provoquer des incidents pour s'occuper.

— En s'attaquant à moi ?

— Ils pensent que la seule façon de grandir est de tuer le père.

— Continue.

— Ils contestent le droit d'aînesse pour...

— Non, reviens sur le père... Tu as dit « tuer le père ». J'aimerais que tu développes davantage ton idée.

— Je n'ai pas suffisamment d'instruction.

— On n'a pas besoin d'être un génie pour comprendre qu'on ne tue pas son père quoi qu'il fasse,
quoi qu'il dise, hurlé-je, hors de moi. Chez nous,
le père est aussi sacré que le prophète.

Une déflagration fait tinter les rares carreaux qui
s'agrippent encore aux fenêtres. Une bombe, sans
doute. Loin, on croit entendre un avion de chasse
s'éloigner. Le silence mortel de ruines s'ensuit,
aussi profond que les tombes.

Dans les pièces d'à côté, la vie reprend son
cours. J'entends un officier donner des instruc-
tions, une porte grincer, des bruits de pas çà et là...

— Mange, dis-je à l'ordonnance.

Cette fois, il repousse le biscuit et fait non de
la tête.

— Je ne peux rien avaler, frère Guide.

— Alors, rentre chez toi. Retourne auprès de
tes filles. Je ne veux plus te voir dans les parages.

— Ai-je dit quelque chose qui vous aurait
déplu ?

— Va-t'en. J'ai besoin de prier.

L'ordonnance s'exécute.

— Débarrasse d'abord, lui dis-je. Ramasse-moi
ce repas de misère et partage-le avec ceux qui
pensent que pour grandir, il faut tuer le père.

— Je n'ai pas voulu vous offenser.

— Hors de ma vue.

— Je...

— Dégage !

Son visage passe du masque de guerrier au masque mortuaire. Cet homme est fini. Il n'a plus de vie à me donner. Il sait que son existence, son être, sa foi, sa bravoure, tout ce qu'il croit incarner de bon ne vaut plus rien maintenant que ma colère l'a chassé de ma confiance.

Je le hais.

Il m'a blessé.

Il ne mérite pas de marcher sur mes pas. Mon ombre ne serait pour lui qu'une insondable vallée des ténèbres.

2.

Je rejoins mes fidèles au rez-de-chaussée.

Le général Abou Bakr Younès Jaber, mon ministre de la Défense, affiche un profil qui rappelle un drapeau en berne.

Une semaine plus tôt, il cognait sur la table et jurait qu'on allait retourner la situation à notre avantage, que les hordes sauvages seraient balayées en un tournemain. Cartes d'état-major à l'appui, il montrait les failles dans le dispositif ennemi, insistait sur les luttes intestines qui détérioraient l'alliance des traîtres, louait les milliers de patriotes qui nous rejoignaient par contingents entiers, les combats fabuleux qu'ils livraient sans répit, consolidant les remparts de notre dernier bastion.

Mon fils Moutassim l'écoutait en acquiesçant, le regard féroce.

Moi, je ne l'écoutais que d'une oreille, tendant l'autre aux chahuts de la ville.

L'enthousiasme du général n'a pas tardé à s'éteindre, supplanté par le doute grandissant.

Certains de mes officiers ont déserté nos rangs, d'autres se sont fait capturer avant d'être lynchés sur place ; leurs têtes ont orné des pics et leurs cadavres accrochés à l'arrière des pick-up ont été traînés sur le bitume à travers les rues. J'en ai vu quelques-uns exhibés tels des trophées lugubres sur les murets.

Depuis trois jours, tandis que les rebelles nous narguent du district d'en face, Abou Bakr se tait. Sa figure n'est plus qu'une boule de papier mâché. Il refuse de se nourrir, boude dans son coin, incapable de tancer ses lieutenants, lui dont les coups de gueule tonitruaient plus fort que les coups de canon.

J'ignore pourquoi, malgré sa fidélité, il n'a jamais réussi à me rassurer tout à fait. Camarade de promotion à l'Académie militaire de Benghazi, il était à mes côtés lors du coup d'État de 1969 et faisait partie des douze membres du Conseil de commandement de la révolution. Pas une fois Abou Bakr ne m'a déçu ou trompé ; pourtant, il me suffit de le regarder dans les yeux pour ne déceler en lui qu'un hère effarouché, un animal de compagnie plus comblé par ma protection que par les faveurs que je lui octroyais.

Abou Bakr me craint comme le mauvais sort, certain qu'au moindre soupçon je le liquiderai à l'instar de mes compagnons d'armes et artisans de ma légende que j'avais éliminés sans état d'âme lorsqu'ils s'étaient mis à contester en secret ma légitimité.

— À quoi penses-tu, général ?

Il a du mal à relever le menton.

— À rien.

— Tu es certain ?

Il remue dans son siège sans répondre.

— Tu veux te tailler, toi aussi ? le brusqué-je.

— Ça ne m'effleure même pas l'esprit.

— Parce que tu crois en avoir un ?

Il fronce les sourcils.

— Relax, lui dis-je. Je te taquine.

J'aimerais détendre l'atmosphère, mais le cœur n'y est pas. Lorsque j'essaye d'amuser la galerie, tout le monde me prend au sérieux. Le général en premier. Un Guide n'a pas d'humour. Ses allusions sont des consignes, ses anecdotes des mises en garde.

— Vous pensez que je suis capable de me débiner, Raïs ?

— Qui sait ?

— Pour aller où ? marmonne-t-il, vexé.

— Chez l'ennemi. Beaucoup de mes ministres se sont livrés. Moussa Koussa, que j'ai hissé à la tête du ministère des Affaires étrangères, a demandé l'asile politique aux Anglais. Et Abderrahmane Shalgham, mon porte-étendard, est devenu mon traître assermenté, émissaire à l'ONU, mandaté par les félons et les mercenaires...

— Je n'ai jamais porté ces gens-là dans mon cœur. Ce n'étaient que des profiteurs prêts à

troquer leur mère contre un bout de privilège. Moi,
je vous aime de tout mon être. Je ne vous abandon-
nerai jamais.

— Alors, pourquoi me laisses-tu seul, là-haut ?

— Vous étiez en prière. Je ne voulais pas vous
déranger.

Je ne me méfie aucunement d'Abou Bakr. Sa
loyauté à mon endroit n'a d'égal que sa super-
stition. Je sais qu'il sollicitait régulièrement des
cartomanciennes pour s'assurer que la confiance
que je lui accordais était intacte.

Je l'ai brusqué par dépit.

Je n'ai pas apprécié qu'il reste assis en ma présence.

D'habitude, il claquait des talons en recon-
naissant ma voix au bout du fil et suait à grosses
gouttes lorsque je lui raccrochais au nez.

Maudite guerre ! Elle ne se limite pas à chambouler les usages, elle les range parfois parmi les
futilités. Si j'ai choisi de passer l'éponge sur le
laisser-aller du général, c'est parce que, en ces
temps de défections à grande échelle, j'ai besoin
d'entendre quelqu'un me dire qu'il ne m'aban-
donnera jamais.

— C'est quoi, ce bleu que tu as sur la
mâchoire ?

— J'ai peut-être heurté un mur ou bien je me
suis cogné contre le sommier de mon lit. Je ne me
rappelle pas.

— Montre voir.

Il me présente la partie meurtrie de son visage.

— Ça a l'air sérieux. Tu devrais consulter un médecin.

— Ce n'est pas la peine, dit-il en massant sa mâchoire. D'ailleurs, je ne sens aucune douleur.

— Des nouvelles de Moutassim ?

Il fait non de la tête.

— Où est Mansour ?

— Il se repose dans la pièce derrière.

Je fais signe à un soldat d'aller chercher le commandeur de ma Garde populaire.

Mansour Dhao arrive dans un état déplorable. Débraillé, la barbe sauvage et les cheveux embroussaillés, il peine à tenir debout. Il me gratifie d'un vague rictus et va s'adosser au mur pour ne pas s'effondrer. Il n'a pas fermé l'œil depuis des jours et des nuits. Son regard est presque aussi vide et enténébré que l'abîme.

— Tu dormais ?

— J'aimerais bien m'assoupir deux minutes, Raïs.

— Parce que tu penses que tu es réveillé ?

Il tente de se donner un minimum de contenance, en vain.

Sa chemise n'est qu'un torchon, son pantalon tirebouchonné paraît trop ample pour lui. Je remarque qu'il a avancé la boucle de sa ceinture de plusieurs crans.

Je le prends par les épaules, attends qu'il relève la tête pour le regarder droit dans les yeux.

— Ne te laisse pas aller, Mansour, lui dis-je. Nous allons nous en sortir, je te le promets.

Il hoche la tête.

— C'était quoi, la bombe de tout à l'heure ?

Il hausse les épaules.

J'ai envie de le gifler.

Abou Bakr se détourne. Il a compris que l'attitude du commandeur de la Garde populaire m'insupporte autant que la mitraille qui résonne au loin.

— Des nouvelles de Moutassim ?

Mansour fait non de la tête, l'échine sur le point de rompre.

— Et de Seif ?

— Il rassemble ses troupes dans le Sud, dit le général. Probablement du côté de Shebha. D'après nos informations, il ne va pas tarder à lancer une vaste contre-offensive.

Mon brave fils Seif el-Islam ! S'il était à mes côtés, il me vengerait de ces mines défaites. Il a hérité de moi l'inflexibilité des serments vrais et le mépris des dangers. En réalité, je ne me fais guère de souci pour lui. Il est malin et impavide, et quand il promet quelque chose, il tient parole comme on tient à son honneur. Il m'a promis de réorganiser mon armée disloquée par les frappes aériennes de l'Otan et de donner un coup d'arrêt décisif à la progression hunnique des rebelles. Seif a du charisme. C'est un grand meneur d'hommes. Il n'en ferait qu'une bouchée, de ces vendus.

Un lieutenant se présente au rapport. Sa tenue laisse à désirer, mais sa ferveur demeure intacte. Il s'adresse au ministre :

— Nos guetteurs nous signalent que les voltigeurs et les groupes de reconnaissance ennemis sont en train de battre en retraite, mon général.

— Ils ne battent pas en retraite, objecte Mansour, excédé. Ils se mettent à l'abri.

— C'est-à-dire ?

— Ils ont commencé à évacuer leurs postes avancés dans l'après-midi. Pour nous isoler. Je pense que nous allons bientôt essuyer un bombardement massif.

J'exige plus d'explications.

Mansour prie le lieutenant de disposer, attend que nous soyons seuls tous les trois avant de nous confier :

— Mon opérateur a intercepté des messages codés. Tout porte à croire que l'aviation des coalisés va cibler le District 2. Le repli de ces chiens d'insurgés confirme cette probabilité.

— Où est Moutassim ?

— Parti réquisitionner des véhicules, dit Abou Bakr en se levant. Nous ne pouvons plus rester retranchés ici en attendant qu'un coup de théâtre nous délivre. Nous manquons de vivres, de munitions et de liberté d'action. Nos unités sont lessivées. Syrte est quasiment verrouillée et l'étau se resserre d'heure en heure.

— Je croyais Moutassim occupé à renforcer ses garnisons. Qu'est-ce que c'est que ce revirement ?

— C'est vous-même qui avez opté pour que l'on force l'embargo.

— Tiens, j'ai des trous de mémoire, maintenant ?

Le général fronce les sourcils, interloqué par mon oubli. Il s'explique :

— Il n'y aura pas de renfort, Raïs.

— Et pourquoi donc ?

— Seif el-Islam est trop loin au sud. Nous devons évacuer Syrte le plus vite possible. De cette façon, nous aurons une chance de gagner Shebha, totalement abandonnée par les insurgés, pour nous réorganiser et, avec l'appui de Seif, prendre en étau Misrata. Les tribus du Sud nous sont restées fidèles. Elles assureront la logistique.

— Depuis quand as-tu changé les plans, général ?

— Depuis ce matin.

— Sans que j'en sois informé ?

Le général écarquille les yeux, de nouveau sidéré par ma question :

— Mais, Raïs, puisque je vous dis que c'est vous-même qui avez suggéré l'évacuation de Syrte.

Je ne me souviens pas d'avoir suggéré une manœuvre aussi périlleuse ; pour ne pas perdre la face, je me contente d'acquiescer.

Mansour s'accroupit, une main par terre, l'autre sur le front. On dirait qu'il va rendre ses tripes.

— Le colonel Moutassim a encore des hommes sûrs dans le secteur, essaye de m'amadouer le général. Il va constituer un important convoi et, à quatre heures pile, nous tenterons une percée dans le dispositif ennemi. Le repli des rebelles est une aubaine. Il nous laisse enfin un peu de marge. Les milices ont levé leurs barrages aux points 42, 43 et 29. Probablement pour se mettre à l'abri, si on en croit notre opérateur. Nous battrons en retraite plein sud. Si Moutassim parvient à réunir quarante ou cinquante véhicules, nous aurons une chance de passer. En cas d'escarmouches, nous nous disperserons tous azimuts. C'est la pagaïe dans la ville. On ne sait plus qui commande qui. Nous profiterons de la confusion pour quitter Syrte.

— Pourquoi pas maintenant ? dis-je. Avant que les frappes aériennes nous tombent dessus.

— Le colonel Moutassim n'aura pas le temps de récupérer le nombre de véhicules souhaité avant plusieurs heures.

— Vous êtes en contact avec lui ?

— Pas par radio. Nous utilisons des estafettes.

— Il est où exactement ?

— Nous attendons le retour de nos patrouilles de reconnaissance pour le savoir.

Mansour se laisse glisser contre le mur et s'assied carrément par terre.

— Un peu de tenue, lui crié-je. Tu te crois dans le patio de ta mère ?

— J'ai une atroce migraine.

— N'empêche. Tu dois te ressaisir, et vite.

Mansour se remet debout. Ses joues ravinées lui tailladent la figure, conférant à son regard l'air hébété d'une bête à l'agonie. Abou Bakr pousse une chaise dans sa direction ; il la refuse.

— Tu penses vraiment qu'ils vont nous bombarder ? lui demandé-je.

— C'est évident.

— C'est peut-être une diversion, suppose Abou Bakr, beaucoup plus pour se ranger de mon côté que par conviction.

— Ils ne demanderaient pas à leurs voltigeurs d'évacuer les postes avancés.

— Tu crois qu'ils savent où nous sommes ?

— Personne ne sait où vous êtes, Raïs. Ils frappent au hasard et attendent que nous nous trahissions.

— Très bien, lui dis-je. Je remonte me reposer. Prévenez-moi dès qu'il y aura du nouveau.

3.

On a nettoyé ma chambre, masqué les fenêtres avec des tentures bâchées et bricolé une sorte de veilleuse à partir d'une torche alimentée par une batterie d'automobile.

Sous le canapé me servant de lit, j'ai trouvé un mince bracelet en or qui a dû appartenir à une petite fille. C'est un joli bijou finement ciselé avec une inscription calligraphiée sur le revers : *Pour Khadija, mon ange et mon soleil.* J'ai voulu mettre un visage sur Khadija et j'ai cherché dans les tiroirs et sur les étagères. Rien. Pas une photo oubliée, aucune trace de la famille qui vivait dans la maison, hormis le portrait du père – ou du grand-père – au salon. J'ai essayé d'imaginer la vie que les *disparus* menaient entre ces murs. C'étaient sans doute des gens aisés baignant dans l'amour et la quiétude, avec une mère attentionnée et des enfants heureux. Quel tort avaient-ils commis pour que, d'un coup, leurs rêves soient éradiqués ?

Je n'ai ménagé aucun effort pour qu'en Libye les joies, les fêtes et les espérances cadencent le pouls de mon peuple, pour que l'ange et le soleil soient indissociables du rire d'un marmot.

Je voyais venir le danger à grands pas, mesurais nettement l'étendue de la convoitise des prédateurs en train de saliver sur les richesses de mon territoire. Quelle alarme tirer ? J'avais beau mettre en garde les souverains arabes, ces fêtards empiffrés n'écoutaient que les minauderies de leurs obligés. Ils étaient au complet au Caire, en rang d'oignons, se surveillant en catimini, les uns arrogants sous leur couronne de patriarche constipé, les autres trop obtus pour avoir l'air sérieux. Des nouveaux débarqués qui se croyaient déjà arrivés, présidents d'opérette incapables de se débarrasser de leur instinct de bouseux, émirs pétrodollars tout droit sortis du chapeau d'un prestidigitateur, sultans empaquetés dans leur robe de fantôme, littéralement dégoûtés par les péroraisons que ressassaient à l'envi les tribuns. Pourquoi étaient-ils là ? Ils se fichaient copieusement de ce qui ne concernait pas leurs coffres-forts. Occupés à se remplir les poches, ils ne se rendaient compte ni du monde qui mutait à une vitesse vertigineuse ni des lendemains chargés d'orages en train de s'enfieller à l'horizon. Le malheur de leurs sujets, le désespoir de la jeunesse, la clochardisation de leurs peuples, c'était le cadet de leurs soucis. Persuadés d'être à l'abri des mauvaises passes, ils *géraient*, comme on dit.

Et puis, ils n'avaient rien à craindre puisqu'ils ne faisaient pas de vagues ni les durs à cuire.

Au dernier sommet de la Ligue, tandis qu'ils se cachaient derrière leur sourire condescendant, je les avais avertis : ce qui était arrivé à Saddam Hussein les menaçait eux aussi. Tous avaient ricané sous cape. Et Ben Ali, mon Dieu ! Ben Ali... cette chiffe molle en costard de caïd qui roulait des mécaniques au milieu de ses sbires et qui s'écrasait comme une crêpe devant le dernier des émissaires venus d'Occident ! Il était en face de moi, la figure écarlate à force de contenir son fou rire. Je l'amusais. J'aurais dû quitter la tribune pour lui cracher à la figure.

Misérable Ben Ali, fier de son embonpoint de maquereau endimanché et content de prostituer son pays au plus offrant. Je n'ai jamais réussi à le sentir, cette boursouflure maniérée. Je n'aimais ni sa coupe de cheveux ni son charisme de pacotille.

J'étais chez Seif el-Islam, ce soir-là.

Je jouais avec mon petit-fils dans un coin du salon.

Seif se tenait debout devant la télé, les bras croisés sur la poitrine, sidéré par le spectacle que lui offrait l'écran géant. Les manifestations s'intensifiaient à Tunis. Les foules étaient déchaînées et la haine sur tous les visages. Les bouches pleines d'écume appelaient à la mort. Les policiers détalaient comme des rats devant la marche inexorable de la colère populaire. Ni les sommations ni les gaz lacrymogènes ne parvenaient à contenir la crue humaine.

Je n'accordais que peu d'attention au chahut des Tunisiens. Toutefois, j'étais ravi de voir Ben Ali contesté par son cheptel. Ce soir-là, c'était moi qui retenais mon fou rire pendant qu'il suppliait de sa voix flageolante son peuple de rentrer à la maison. Sa panique était un régal. Je m'en délectais. Depuis son intronisation rocambolesque, je savais qu'il n'allait atteindre les sommets que pour mieux amorcer la chute.

Un gangster élevé au rang de Raïs !

J'avais presque honte de l'avoir comme homologue.

Soudain, Seif avait tapé dans ses mains en signe d'incrédulité.

— Il s'est enfui... Ben Ali s'est taillé.

— Tu t'attendais à quoi, mon fils ? Ce type n'est qu'un coq en pâte. Il prendrait le pet d'une vache pour un coup de mousqueton.

— Ce n'est pas possible, s'indignait Seif en déglutissant. Ça ne marche pas comme ça. Il ne peut pas partir maintenant.

— Il est toujours temps de partir pour ceux qui ne savent pas se tenir.

Seif n'en revenait pas. Il continuait de taper dans ses mains, estomaqué et outré à la fois par la rapidité avec laquelle le Raïs avait déserté l'arène.

— Il nous fout la honte, à nous tous. Il n'a pas le droit de jeter l'éponge. Un chef arabe ne rend pas le burnous. Cette chiffe molle est en train de nous humilier tous autant que nous sommes.

— Pas moi.

— Bon sang ! C'est lui qui tient les rênes. Il n'a qu'à froncer les sourcils pour rétablir l'ordre. Que font sa police et son armée ?

— Ce que font en général les majorettes.

— Quel scandale pour un dirigeant !

— Il n'a jamais été un dirigeant, Seif. C'était juste un maquereau embourgeoisé prêt à déguerpir au moindre grabuge. Un voleur à la sauvette ferait montre de plus d'honneur que lui.

Seif s'était mis à pester.

Moi, j'avais repris mon petit-fils dans mes bras et tourné le dos à la télé.

Les révoltes arabes m'ont toujours barbé, un peu comme les montagnes qui accouchent d'une souris.

4.

J'entends une voiture arriver.

Est-ce mon fils Moutassim qui rentre avec le convoi ?

Je me rue sur le corridor, dévale l'escalier.

Le rez-de-chaussée est désert. Des pas se dépêchent vers la sortie de secours de la résidence.

Dans la cour, un véhicule banalisé pétarade avant que l'on coupe le moteur. Il s'agit d'un pick-up dans un piteux état : pare-brise étoilé, vitres pulvérisées, carrosserie transformée en passoire, un pneu crevé, une roue quasiment sur la jante avec des lambeaux de caoutchouc sur le côté.

Le chauffeur ouvre la portière et reste affaissé contre son volant, un pied au sol, l'autre sur le plancher. Des soldats extirpent deux corps de la banquette arrière. Le premier a le crâne fracassé ; le second a la bouche grande ouverte et les yeux révulsés. Sur le siège à droite du chauffeur, un homme gémit.

Abou Bakr s'approche du véhicule, Mansour derrière lui.

— D'où sortent-ils, ceux-là ?

— C'est la section de reconnaissance, mon général, lui répond un capitaine.

— Section ? Je ne vois qu'un véhicule.

— Les deux autres ont été traités au RPG, explique le chauffeur d'une voix mourante. Aucun survivant.

— Comment ça, aucun survivant ? tonne Mansour. Éteins d'abord tes phares, imbécile. Tu te crois sur les Champs-Élysées ?

Le chauffeur éteint les phares. Ses gestes sont maladroits et lents.

— Et le colonel Moutassim ? lui dis-je.

— Il est passé de l'autre côté du point 34.

— Tu l'as vu traverser les lignes ennemies ?

— Oui, monsieur, ahane-t-il, sur le point de s'évanouir. Nous l'avons escorté jusqu'à la limite du district et nous l'avons couvert lorsque les rebelles ont cherché à le stopper.

— Tu te mets au garde-à-vous quand tu t'adresses à ton Raïs, le tancé-je.

Le chauffeur manque de s'effondrer contre son volant. Il rassemble ses dernières forces pour redresser d'un cran sa nuque. Il geint :

— Je ne peux pas tenir sur mes jambes, monsieur. J'ai deux balles dans l'aine et un éclat de ferraille dans le mollet.

Mansour fait signe à deux soldats d'évacuer le blessé assis sur le siège avant.

— Que s'est-il passé ? demande Abou Bakr.

Le chauffeur se contorsionne, respire profondément et lâche d'une traite comme s'il redoutait de s'évanouir avant de finir son rapport :

— Lorsqu'on s'est assurés que le colonel Moutassim était hors de danger, raconte-t-il, le sergent a tenté une incursion entre les points 34 et 56 pour situer les nouvelles lignes ennemies. Nous avons progressé à l'intérieur de leur dispositif sur quatre kilomètres environ sans rencontrer de résistance. Au retour, nous sommes tombés dans un traquenard. Des voltigeurs nous ont attaqués au lance-roquettes. Les deux véhicules ont explosé. J'ignore comment j'ai réussi à battre en retraite.

— Pourquoi es-tu revenu ici ? lui crié-je. Et sans éteindre tes phares. L'ennemi t'a sûrement suivi. Il doit savoir où nous sommes à cause de ta stupidité.

Le chauffeur paraît ahuri par mes reproches.

— Mais où aller, monsieur, avec trois blessés à bord ?

— Au diable, idiot ! Tu n'as pas à mettre le QG en danger. Je te préviens, si jamais on est repérés, je te ferai fusiller.

Le capitaine aide le chauffeur à sortir du véhicule, lui passe un bras autour de la taille et le traîne vers l'infirmerie.

Les autres soldats restent là, figés devant le pick-up, semblables à des statues de bois.

Enfoncé dans un fauteuil, Mansour Dhao rumine ses angoisses en scrutant ses ongles. Par moments, il soliloque, ébauche des gestes de malade mental. Le regarder s'effondrer est insupportable. J'ai besoin que mes proches collaborateurs fassent preuve d'un minimum de retenue. Il n'y a aucune différence entre celui qui se livre et celui qui refuse de se battre. Je dirais même que si le premier a le courage de sa lâcheté, le second en est totalement dépourvu.

Cet homme démissionnaire, cette épave à la dérive me dégoûte. Il représente à mes yeux la lie de l'humanité.

Dans la pièce qui nous sert de cellule de crise, le général Abou Bakr Younès Jaber étudie une carte d'état-major, de larges auréoles de sueur sur la chemise et sous les aisselles. Je suis certain qu'il ne fait que simuler un rôle qui lui échappe. De temps à autre, il se racle la gorge, feint de s'intéresser à un détail sur le plan, se penche de tout son corps par-dessus la table, la joue au creux de la main pour me montrer combien il est concentré. Son petit manège manque de crédibilité, mais il a l'excuse de ne pas m'exaspérer.

Nous sommes tous les trois dans la pièce, à guetter l'estafette de Moutassim. Sans nouvelles du colonel, nous n'arrêtons pas de nous décomposer. Chaque minute qui passe nous dépossède d'une partie de nous-mêmes.

J'ai les nerfs à fleur de peau. Être coupé du monde, rester là tel un légume à attendre un signe de mon fils qui tarde cruellement à se manifester est insoutenable. Mon destin se joue à pile ou face, et la pièce de monnaie demeure suspendue en l'air, aussi tranchante qu'un couperet.

Mansour cesse d'examiner ses ongles. Il regarde à droite et à gauche en quête de je ne sais quoi, se trémousse entre les accoudoirs, paraît se demander où il se trouve. Lorsqu'il recouvre ses repères, il s'enfonce de nouveau dans son fauteuil, se prend les tempes entre le pouce et le majeur, secoue la tête de façon énigmatique. Au bout d'un long malaise intérieur, il reporte son attention sur le général et lui lance d'un ton sarcastique :

— Tu vois quelque chose dans ta boule de cristal ?

— Quelle boule de cristal ? grogne le général sans se retourner.

— Ta carte. Ça fait une demi-heure que tu la cuisines, elle a bien fini par cracher le morceau.

— Je suis en train d'étudier les différentes possibilités de repli vers le sud.

— Je croyais l'itinéraire tracé depuis ce matin. De toutes les manières, c'est l'unique voie qui nous reste, le sud.

— Oui, mais le siège ennemi change d'heure en heure. D'après nos unités de reconnaissance...

— Tu appelles unités de reconnaissance les deux ou trois patrouilles dont nous disposons ? Elles crapahutent dans le noir, si tu veux mon avis.

— Ton avis, tu te le gardes. Tu ne vas pas m'apprendre mon boulot.

Mansour se remet à contempler ses ongles qu'il n'en finit pas de ronger. Le cou rentré dans les épaules, il maugrée :

— Nous n'aurions pas dû quitter le palais.

— Sans blague, lui fait le général.

— Nous étions bien au bunker. On avait où dormir et de quoi manger et on était à l'abri des raids aériens et des tirs d'artillerie. Regarde où nous en sommes maintenant. Un seul hélico suffirait pour nous anéantir.

Le général pose son crayon sur le rebord de la table. Il devine que le chef de la Garde populaire cherche à le provoquer, aussi évite-t-il la confrontation. C'est lui qui avait eu l'idée d'évacuer le palais. Il n'avait pas eu besoin de me convaincre – c'était aussi mon avis. L'ensemble des résidences où j'étais censé me réfugier a été détruit par l'aviation des coalisés, y compris les maisons de mes proches et celles de mes enfants. Dans cette horrible chasse à l'homme, l'Otan n'a pas hésité à lâcher ses bombes sur mes petits-enfants, les tuant sur le coup sans honte et sans regrets.

— Nous courions le risque d'être pris au piège dans le souterrain, argumente le général avec un calme sidérant.

— Tu penses qu'on est hors de danger ici ? persiste Mansour.

— Ici, au moins, on n'est pas localisés. En plus, nous avons un plus large espace de manœuvre en cas d'assaut. Si nous étions restés au sous-sol du palais, les rebelles n'auraient eu qu'à creuser un trou dans le béton armé avec un marteau piqueur ou une excavatrice, à introduire un tuyau dans la brèche et à actionner un groupe électrogène pour nous gazer.

— C'est mieux que de crever déchiquetés, non ?

Je suis à deux doigts de bondir sur le chef de la Garde populaire et de lui marcher dessus jusqu'à ce que son corps se confonde avec le parterre. Mais je suis fatigué.

— Mansour, lui fais-je, lorsqu'on n'a rien à dire, on se tait.

— Le général est dépassé...

— Mansour, lui répété-je d'une voix caverneuse qui trahit la fureur en train de sourdre en moi, *Yazik moï vrag moï*[1] avertit le proverbe russe. Ne me force pas à t'arracher la tienne avec une tenaille.

---

1. « Ma langue est mon ennemie. »

Soudain, une formidable déflagration nous parvient de loin.

Le général pivote sur lui-même, la figure exsangue.

— Le bombardement de l'Otan a commencé !

Mansour émet un petit ricanement :

— Du calme, mon vieux. Tu anticipes.

— Ah bon, lui rétorque le général, vexé.

— Quand même, persiste le chef de la Garde. Ne pas distinguer l'explosion d'une bombe de l'éclatement d'un obus, pour un général, c'est désespérant.

J'ai envie de m'emparer d'une arme et d'abattre à bout portant l'insolent – son impassibilité m'en dissuade.

— Qu'est-ce que c'est, d'après toi ? lui demandé-je.

Mansour répond avec un détachement qui me fait regretter d'avoir laissé mon pistolet dans ma chambre.

— Ce n'est que Moutassim. Il fait exploser le dépôt de munitions du district pour qu'il ne tombe pas entre les mains des rebelles.

— Comment le sais-tu ? grogne le ministre.

— C'est toi-même, général, qui l'as chargé de cette opération, dit Mansour, dédaigneux. Je suppose que dans la panique tu ne te souviens plus des ordres que tu distribues à tort et à travers.

— Ferme-la, ordonné-je au chef de la Garde, à la fois excédé par son attitude et soulagé d'apprendre qu'il s'agit d'une fausse alerte. Je t'interdis de manquer de respect à mon ministre. S'il est dépassé par les événements, c'est parce qu'il se tue à les rattraper pendant que toi, tu nous assommes avec tes sautes d'humeur.

— N'empêche, je reste sobre, moi. Les rebelles se sont convertis en trafiquants d'armes. Ils fourguent notre arsenal à Aqmi et consorts. D'après les dernières informations, les escadrons des révolutionnaires que nous avons instruits, protégés, financés, nourris pendant des années sur notre sol sont en train de rallier les islamistes.

— Propagande ! Ces révolutionnaires sont mes enfants. Ils sont traqués par les félons. Mon fils Seif el-Islam tente de les récupérer pour déclencher une gigantesque contre-offensive qui balaierait en moins d'une semaine cette armée fantoche que les Croisés manipulent à leur guise.

Mansour esquisse un geste de la main en se levant et quitte la salle, obtus et renfrogné.

— Il ne faut pas lui en vouloir, me dit Abou Bakr. Il déprime.

— Je n'aime pas que l'on déprime en ma présence. Un quart d'heure avec ce défaitiste équivaut à un an de travaux forcés. Il m'ennuie et m'enrage à la fois.

— Je comprends, monsieur. Il va se ressaisir. C'est juste un passage à vide.

— Je le passerai par les armes dès que la situation sera rétablie, lui promets-je... Bon, je remonte dans ma chambre. Envoie-moi Amira.

Avant de m'en aller, je tape du doigt sur la poitrine du général :

— Surveille Mansour de très près et n'hésite pas à le liquider s'il tente de se barrer.

Le général acquiesce, les yeux au sol.

5.

Amira me trouve étendu sur le canapé, le turban sur la figure. C'est une femme costaude et alerte, presque noire, avec une chevelure luxuriante et une poitrine plantureuse. Elle a été l'une de mes premières gardes du corps ; une *amazone* intrépide et increvable qui ne m'a pas quitté d'une semelle depuis son recrutement. Arrogante mais d'une fidélité indéfectible, je l'autorisais parfois à partager ma couche et mes repas lorsqu'elle était plus jeune.

Elle claque des talons, m'adresse un salut militaire réglementaire. Sanglée dans son treillis de para-commando, elle paraît plus grande encore.

— Prends-moi la tension, lui ordonné-je.

Elle défait les sangles d'une sacoche, s'empare du tensiomètre.

Mon médecin officiel s'étant volatilisé à Tripoli au lendemain du bombardement des coalisés, c'est Amira qui est devenue mon infirmière attitrée.

Nous avons deux ou trois médecins au quartier général, mais par précaution, j'ai décidé de me passer de leurs services. Ils ont l'âge des rebelles et sont trop imprévisibles pour bénéficier de ma confiance.

— Votre tension est normale, monsieur.

— Tant mieux. Maintenant, fais-moi une piqûre.

Elle extirpe de la sacoche un petit sachet d'héroïne, déverse son contenu dans une cuillère à soupe, actionne un briquet.

Je ferme les yeux, le bras nu tendu sur le côté. J'ai horreur des seringues. J'ai attrapé cette phobie à l'âge de treize ans lorsqu'une assistante a failli me rendre infirme en cassant une aiguille dans ma fesse. L'infection qui s'en est suivie m'a cloué au lit durant des semaines.

Amira me pose un garrot, assène deux ou trois chiquenaudes sur mon avant-bras pour choisir une veine. Après qu'elle a retiré le garrot, je lui demande :

— Il me reste combien de seringues ?

— Une demi-douzaine, monsieur.

— Et d'héroïne ?

— Trois sachets.

— Tu es sûre que personne ne puise dans ma réserve ?

— Je ne quitte pas la sacoche une seule seconde, monsieur. Je me lève avec et dors avec.

Elle range l'attirail dans la trousse, attend mes ordres. Devant mon silence, elle s'apprête à se déshabiller.

— Non, pas cette nuit, l'arrêté-je. Je n'ai pas la tête à ça. Contente-toi de me masser les pieds.

Elle reboutonne le haut de sa veste et entreprend de délacer mes chaussures.

Les femmes...

J'en ai possédé des centaines.

De tous les horizons.

Artistes, intellectuelles, vierges, domestiques, épouses d'apparatchiks consentants ou de conspirateurs, je les pratiquais à la chaîne.

Le code était simple : je posais la main sur l'épaule de ma proie, mes agents me la ramenaient le soir sur un plateau enrubanné, et mon lit effeuillait ses draps soyeux pour que l'ivresse de la chair exulte.

Il y en avait qui résistaient ; j'adorais les conquérir comme des contrées rebelles. Lorsqu'elles cédaient, terrassées à mes pieds, je prenais conscience de l'étendue de ma souveraineté et mon orgasme supplantait le nirvana.

Rien n'est plus beau qu'une femme, et rien n'est plus précieux. Le ciel a beau scintiller de ses milliards d'étoiles, il ne saurait me faire rêver autant que la silhouette d'une concubine. La poésie, la gloire, la fierté, la foi ne seraient que peine perdue si elles ne contribuaient pas à mériter un baiser,

une étreinte, un instant de grâce dans les bras de
l'égérie d'une nuit... Je pouvais disposer de tous
les trésors de la terre, il suffisait qu'une femme
me refuse pour que je redevienne le plus pauvre
des hommes.

J'ai contracté ce mal sublime qu'on appelle
l'amour à l'école de Sebha, dans le Fezzan tribal.
J'avais quinze ans, quelques boutons au visage et
des poils follets en guise de moustache. Faten
était la fille du directeur. Elle venait parfois nous
regarder, nous les garçons, nous chamailler dans
la cour d'école. Les yeux plus grands que l'horizon, les cheveux noirs jusqu'au fessier, la peau
translucide, elle semblait sortir d'un songe d'été.
Je l'ai aimée à l'instant où je l'ai vue. Mes
insomnies étaient emplies de son parfum. Je ne
fermais l'œil que pour la rejoindre à travers mille
fantasmes.

Je lui écrivais des lettres enflammées sans par-
venir à lui en glisser une. Elle habitait à l'intérieur
de l'enceinte scolaire, une maison au portail massif
et aux fenêtres voilées ; le grillage qui nous
séparait, Faten et moi, était aussi infranchissable
que la muraille de Chine.

Contraint de poursuivre mes études à Misrata,
je l'ai perdue de vue.

Des années plus tard, je retrouvai sa trace à
Tripoli où sa famille avait emménagé. Ce fut
comme si le hasard me restituait ce que mes échecs

de trublion m'avaient confisqué : Faten m'était destinée !

Fringant dans mon uniforme de jeune officier des transmissions, j'étais allé demander sa main, avec un assortiment de gâteaux acheté chez le meilleur pâtissier de la ville.

Je me souviens des moindres détails de ce jour-là. C'était un mercredi ; je venais de bénéficier d'une permission exceptionnelle à mon retour du Royaume-Uni où j'avais effectué avec grand succès un stage au *British Army Staff*. J'étais tellement heureux que j'avais du mal à marcher droit le long de cette rue bordée de villas cossues. Les mimosas croulaient par-dessus les palissades, chargés de senteurs capiteuses ; les voitures, grosses comme des navires, étincelaient sous le soleil. Il était quinze heures. Je ne marchais pas, je planais, porté par les battements de mon cœur.

J'ai sonné au numéro 6, attendu une éternité. Une minute semblait une saison. Je transpirais sous mes galons, l'allure hiératique, droit dans mes bottes, aussi beau et fier qu'un centurion posant pour la postérité... Une énorme servante noire m'a ouvert avant de me conduire à travers un jardin en fleurs taillé avec soin. L'allée pavée de pierres blanches évoquait une traînée de nuage. C'était la première fois de ma vie que je pénétrais dans une maison de la bourgeoisie libyenne. Le faste qu'elle me jetait par brassées à la figure me renvoyait à mes origines modestes, mais je n'en avais cure.

Mon parcours parlait pour moi. Parti du bas de l'échelle, je gravissais une à une les barricades des préjugés. Ma famille s'était ruinée pour que je sois le premier enfant de mon clan à entrer à l'école – j'étais conscient qu'un tel privilège me condamnait à réussir contre vents et marées, à prouver au monde que je n'avais rien à envier à personne.

Mon ancien directeur d'école avait totalement changé. Je ne l'avais pas reconnu. Il n'avait plus rien à voir avec le personnage valétudinaire, au fond de culotte terreux, qui végétait à Sebha.

Il m'attendait sur le pas de sa porte, une robe de chambre fleurdelisée par-dessus un pyjama de couleur grenat. Ses babouches tranchaient avec le vermeil de ses pieds. Le chapelet qu'il égrenait entre ses doigts roses racontait l'aisance quiète d'une manne céleste bien négociée.

Il ne m'invita pas à passer au salon que je voyais au fond du couloir pavoisé de brocart et garni de mobilier majestueux. Ma tunique d'officier ne me dispensait pas de certains usages. Le maître de céans me proposa un banc dans le vestibule, là où il était censé recevoir de façon expéditive les gens qu'il jugeait indignes de fouler ses tapis. Il ne m'offrit ni café ni thé, ne remarqua ni mon paquet de pâtisseries ni ma fébrilité de jeune premier. Quelque chose attestait que je ne frappais pas à la bonne adresse, mais mon amour pour Faten refusait de l'admettre.

Le père tint à rester courtois – d'une courtoisie froide, distante, monocorde. Il me demanda à quelle tribu j'appartenais. Le clan des Ghous ne lui disait pas grand-chose. De toute évidence, il n'aimait pas trop les Bédouins. Son séjour dans le Fezzan n'avait fait que l'emmurer davantage dans son sentiment de citadin largué dans un trou perdu qui sentait le four banal et la crotte de chèvre. Maintenant qu'il avait un frère diplomate et un cousin conseiller du prince héritier Hassan Réda, le désert et sa plèbe, il ne s'en souvenait plus.

— J'avoue que je suis un peu surpris par votre façon de procéder, jeune homme, m'apostropha-t-il poliment.

— J'admets que j'enfreins le protocole, monsieur. Mes parents sont au courant de ma démarche, mais ils vivent très loin d'ici.

— Il n'empêche, le mariage est une affaire sérieuse. Nous avons nos coutumes. Ce n'est pas au prétendant de se présenter, à l'improviste, seul, sans témoins.

— Vous avez raison, monsieur. Je rentre d'Angleterre et je viens à peine d'être muté dans ma nouvelle unité. Il m'a fallu insister pour bénéficier de quarante-huit heures de congé. Comme je suis de passage dans la ville, j'ai saisi l'opportunité.

Il lissa l'arête de son nez, mi-amusé mi-embarrassé.

— Comment avez-vous connu ma fille, lieutenant ?

— J'étais élève dans votre école, monsieur. Je
la voyais traverser la cour de récréation pour
rentrer à la maison.

— Vous vous êtes déjà rencontrés ?

— Non, monsieur.

— Vous vous êtes écrit des lettres ?

— Non, monsieur.

— Connaît-elle les sentiments que vous nour-
rissez pour elle ?

— Je ne pense pas, monsieur.

— Hum, fit-il en consultant sa montre.

S'ensuivit un silence dérangeant qui faillit m'as-
phyxier.

Après avoir réfléchi, il me flatta :

— Vous êtes jeune, sain de corps et d'esprit.
Une belle carrière s'offre à vous.

— Votre fille ne manquera de rien, lui promis-
je.

Il sourit.

— Elle n'a jamais manqué de quoi que ce soit,
lieutenant.

J'ignore pourquoi je m'étais surpris à le
détester d'un coup, avec sa face de chat-huant,
ses binocles d'un autre âge et sa voix d'outre-
tombe.

Je pris mon courage à deux mains et lui avouai
d'une voix qui me resterait comme une tumeur en
travers de la gorge :

— Ce serait un honneur pour moi si vous m'ac-
cordiez sa main.

Il ravala son sourire. Son front se plissa et le regard qu'il posa sur moi m'effaça presque de la surface de la terre.

Il me dit :

— Vous êtes libyen, lieutenant. Vous connaissez parfaitement les règles qui régissent nos communautés.

— Je ne vous suis pas, monsieur.

— Mais si, vous comprenez très bien. Dans notre société, comme dans l'armée, il y a une hiérarchie.

Il se leva, me tendit la main.

— Je suis certain que vous trouverez une fille de *votre rang* qui vous rendra heureux.

Je n'eus pas la force de bouger le bras ; sa main demeura suspendue dans le vide.

Ce fut le jour le plus triste de mon existence.

J'étais allé sur la plage voir la mer se pulvériser contre les rochers. J'eus envie de hurler jusqu'à ce que mes cris fassent taire le vacarme des vagues, jusqu'à ce que l'horreur dans mon regard fasse reculer les flots.

« Vous trouverez une fille de *votre rang* qui vous rendra heureux ».... Il n'était naguère qu'un petit fonctionnaire incapable de joindre les deux bouts, plus préoccupé par le ballet des mouches autour de ses repas de misère que par les fripons qui fumaient en cachette dans les toilettes de son école. Il avait eu vite fait d'oublier les sandales miteuses qu'il traînait à longueur de journées, le spectre salivant qu'il avait été devant une galette offerte par une mère reconnaissante, le *moudir*[1] paumé, si insignifiant que la désolation criarde du Fezzan ne parvenait même pas à lui conférer un soupçon de relief. Il lui avait suffi de marier sa sœur à un vizir vieillissant pour que du jour au lendemain il se découvrît un standing, une dimension, une caste et du rouge aux joues. *Vous trouverez une fille de votre rang*, avait-il dit, le parvenu. Un désastre ne m'aurait pas anéanti autant que sa voix nasillarde qui tournait en boucle dans ma tête en me reléguant au fin fond des abysses.

Je n'ai pas pardonné l'affront.

En 1972, trois ans après mon intronisation à la tête du pays, j'ai cherché Faten. Elle était mariée à un homme d'affaires et mère de deux enfants. Mes gardes me l'ont ramenée un matin. En larmes. Je l'ai séquestrée durant trois semaines, abusant d'elle à ma convenance. Son mari fut arrêté pour une *prétendue* histoire de transfert illicite de capitaux. Quant à son père, il sortit un soir se promener et ne rentra jamais chez lui.

Depuis, toutes les femmes sont à moi.

---

1. « Directeur ».

6.

Sous le soleil implacable du Fezzan, les mirages peinent à prendre forme tandis qu'un vent ocre souffle sur les cailloux brûlants. Je suis debout sur un rocher, enfant dans ses chiffons, et j'observe, au loin, un point noir qui se fait et se défait dans les réverbérations du désert.

Est-ce un corbeau ou bien un chacal ?

Je porte ma main en visière.

La tache noire se met à grossir au fur et à mesure qu'elle arrive sur moi, aspirée par mon regard. C'est la *kheïma*[1] de mon oncle. Il n'y a personne à l'intérieur. Hormis un sloughi à deux têtes occupé à renifler son derrière et un paon piégé dans sa roue tel un moucheron sur une toile d'araignée, il n'y a pas âme qui vive.

À côté d'une vieille selle brodée d'argent, un samovar grouillant de scarabées nacrés trône sur une table basse en cuivre. Imbriqués les uns

---

1. Guitoune, tente de bédouin.

sur les autres, les verres à thé s'élèvent en tronc
de dattier avec, en guise de palmes, des doigts
féminins que prolongent d'interminables ongles
tortueux. Tapi dans une encoignure, un bâton aro-
matique se consume ; ses volutes de fumée labourent
la pénombre de profondes griffures.

Dans le silence bourdonnant de la fournaise, on
ne perçoit que le crissement d'une poulie.

Accroché au mât central de la tente, le cadre
somptueux d'un tableau tourne sur lui-même, au
ralenti. Ce n'est pas une poulie qui crisse, mais la
corde au bout de laquelle pend le cadre. Ce dernier
est vide.

J'ai peur.

Ma chair est hérissée de frissons.

Poussé par je ne sais quel instinct, je passe une
jambe à l'intérieur du cadre, ramène l'autre comme
si je traversais un miroir. Je me surprends assis
au milieu d'une ribambelle de mioches déguenillés
ânonnant à tue-tête des versets en oscillant du buste
par-dessus leur planchette. Je reconnais l'école coranique de mes sept ans, ses murs en torchis et son
plafond aux poutres vermoulues. Emmitouflé dans
un manteau vert, le visage perdu dans une coiffe
ébouriffée, le cheikh somnole sur son coussin, bercé
par la chorale dissonante de ses élèves. Lorsque le
chahut baisse d'un cran, il abat sa perche au hasard
sur une épaule pour raviver l'enthousiasme ambiant
et se rendort.

Le cheikh avait horreur des trublions qui ne faisaient que braire et rire sous cape. Quand il mettait
le grappin sur l'un d'eux, il arrêtait le cours, nous
sommait de former un cercle autour du pris en
faute et nous gratifiait d'une terrible séance de
falaqa. Ce genre de châtiment me traumatiserait
longtemps.

Soudain, le cheikh se réveille et son regard fond
sur moi tel un rapace. *Pourquoi ne récites-tu pas
avec tes camarades ? Qu'as-tu fait de ta planchette ? Aurais-tu renoncé à ta religion, espèce de
chien ?* hurle-t-il en se soulevant dans un geyser
d'indignation. À la manière de Moïse, il jette au
sol sa perche qui se transforme aussitôt en un
épouvantable serpent noir, frémissant de toutes
ses écailles, la langue fourchue semblable à une
flamme jaillissant des enfers.

Mon cœur manque d'exploser quand j'identifie
Vincent Van Gogh sous le déguisement du cheikh.

Je me réveille en sursaut, la poitrine emballée,
la gorge aride : je suis dans la chambre d'en haut,
sur le canapé qui me tient lieu de lit.

Amira est partie.

Je me mets sur mon séant, me prends la tête à
deux mains, bouleversé par mon cauchemar...
D'habitude, ma dose d'héroïne me plonge dans un
sommeil magnifique et réparateur. Mais depuis
quelques semaines, c'est le même rêve qui revient
chambouler mes rares instants de répit.

Mon histoire avec Vincent Van Gogh remonte à mes années du lycée. En feuilletant un beau-livre emprunté à un camarade de classe, j'étais tombé sur un autoportrait du peintre. Aujourd'hui encore, je suis incapable de m'expliquer ce qui s'est produit en moi ce jour-là. Je n'avais jamais entendu parler de Van Gogh.

Je me souviens, j'étais resté littéralement hypnotisé par le personnage. Le front à moitié mangé par une pitoyable coiffe, un grossier pansement sur son oreille mutilée, le regard insaisissable, on aurait dit que le peintre regrettait d'être venu au monde. Derrière lui, plaquée contre le mur, une estampe japonaise. Le peintre lui tournait le dos. Il se tenait debout, coincé dans son horrible manteau vert, indécis, au milieu de son atelier miteux et froid.

Cette image ne m'a plus quitté. Elle s'est incrustée dans un repli de mon subconscient et, pareille à un agent dormant, chaque fois qu'un grand événement se prépare, elle revient hanter mon sommeil. Je n'ai jamais compris pourquoi. J'ai même sollicité les performances d'un imam d'Arabie célèbre pour ses interprétations oniriques, sans succès.

Je n'ai pas grand-chose en commun avec Van Gogh, à part peut-être la misère que j'ai connue enfant et qui l'acheva, lui, au milieu de ses toiles qui ne lui assuraient qu'un repas sur deux et qui valent aujourd'hui des fortunes blasphématoires.

Je ne vois pas le moindre rapport susceptible de justifier l'intrusion de ce peintre maudit dans ma vie, cependant, je suis persuadé qu'il y a une explication.

En dehors de la musique orientale, je ne suis pas porté sur les arts. J'avouerais même que je nourris un certain dédain pour les peintres contemporains ; je les trouve subversifs à l'instar des poètes engagés, pas toujours inspirés et sans réelle magie. Ils sont plutôt un effet de mode, une façon comme une autre de faire croire que la décadence est une forme de transcendance révolutionnaire, qu'un vulgaire trait rouge sur une toile pourrait à lui seul élever les profanes au rang des initiés puisque, dans ce genre d'appréciations conventionnelles, arbitraires et sans paramètres probants, c'est la signature qui impose le talent et non le contraire. Bien sûr, pour faire bonne figure lors de mes déplacements officiels en Occident, il m'arrivait de feindre l'extase devant une fresque ou en écoutant Mozart dont le génie tant loué n'a à aucun moment réussi à titiller ma fibre sensible – pour moi, rien ne vaut la splendeur d'une guitoune déployée au beau milieu du désert et pas une symphonie n'égale le bruissement du vent sur la barkhane. Pourtant, par je ne sais quelle ironie du sort, Vincent Van Gogh, qui n'appartient ni à ma culture ni à mon univers, continue d'exercer sur moi une insondable fascination faite de frayeur et de curiosité.

La veille du coup d'État, dans la nuit du 31 août au 1er septembre 1969, tandis que mes officiers fignolaient l'opération coup-de-poing en l'absence du roi Idris parti s'offrir une cure à l'étranger, j'étais dans ma chambre, stressé à mort. Van Gogh était là, dans son cadre doré ; il ne me quittait pas des yeux. J'avais beau me tourner et me retourner dans mon lit, la tête sous l'oreiller, le spectre ne disparaissait pas. Quand le téléphone sonna enfin sur ma table de chevet, le peintre surgit de sa toile et se jeta sur moi, son manteau vert peuplé de chauves-souris. Je me réveillai en hurlant, le corps en sueur. *Mission accomplie !* m'informa-t-on au bout du fil. *Le prince héritier a abdiqué sans résistance. Quant au roi, il est déjà au courant qu'il n'a pas intérêt à rentrer au pays.* À l'aube, je pris d'assaut la radio de Benghazi pour annoncer au peuple que la monarchie scélérate qui suçait le sang de la nation était morte et que la République arabe libyenne venait de naître.

Quelques mois plus tard, galvanisé par les clameurs de mon peuple, je me mis à réfléchir à un coup d'éclat susceptible de me donner une plus large visibilité sur le plan international. J'hésitais entre débarrasser la patrie de la présence des troupes britanniques ou bien reprendre aux Américains la base aérienne de Wheelus... Une nuit, Van Gogh revint m'épouvanter dans mon sommeil et, au matin, malgré les réticences argumentées de mes conseillers, ma décision fut prise : plus de Croisés sur le sol béni d'Omar el-Mokhtar.

En août 1975, ce fut encore Van Gogh qui m'alerta, à travers un rêve d'une rare violence, de la conspiration qu'échafaudaient contre moi deux de mes meilleurs amis et confidents, Bachir Saghir Hawdi et Omar el-Meheichin. J'ai déjoué la tentative de putsch avec panache et purgé le Conseil de commandement de la révolution comme on crève un abcès.

Chaque fois que le peintre maudit se manifestait dans mon esprit, l'Histoire apportait une pierre à mon édifice.

Je me demande si mon livre de Guide éclairé et la couleur du drapeau national que j'avais choisi pour la Libye ne s'inspirent pas du pardessus vert de Van Gogh.

7.

On frappe à la porte.

C'est Mansour Dhao qui vient se racheter... Que vaut-il désormais sur le marché de la guerre ? Le prix d'une balle ? Trop cher pour lui. Des tenailles, un poignard émoussé, une corde en chanvre feraient l'affaire. Lui, le commandeur de ma Garde populaire, le terrible Mansour Dhao tiré à quatre épingles, veillant au millimètre près sur sa dégaine martiale, le voilà qui se néglige de la tête aux pieds, avec sa barbe de clochard, sa chemise au col crasseux et ses lacets défaits. Il n'est que l'ombre d'un vieux souvenir ; son regard, qui autrefois portait plus loin que la foudre, a du mal à s'aventurer au-delà du bout de ses cils.

Je suis triste pour lui, et pour moi : mon percutant bras droit s'est engourdi.

Il fut un temps où rien n'échappait à sa vigilance ; il était au courant de tout, jusqu'aux gémissements des vierges que je déflorais entre deux bouffées d'héroïne. Mansour, avant, c'était l'épée de Damoclès. Il veillait au grain et sur le moulin, flairait la mauvaise graine avant qu'elle germe. Avec lui, rien n'était laissé au hasard. Ses sbires étaient triés sur le volet. Au moindre soupçon, ils sévissaient ; les suspects s'évanouissaient dans la nature plus vite qu'une volute de fumée, et moi, je pouvais jouir pleinement de mes nuits.

— Ne m'en voulez pas, Raïs, je n'ai pas pris mes pilules depuis des semaines.

Il m'avait caché qu'il était sous traitement. Et dire que je le croyais inoxydable. Il donnait l'impression de ne connaître ni fatigue ni maladie. Je l'avais même fait surveiller par mes plus fins limiers – son charisme et son autorité à la tête de la Garde populaire le posaient en rival potentiel. Le pouvoir étant hallucinogène, on n'est jamais à l'abri des rêveries meurtrières. De la garnison au palais présidentiel, il n'y a qu'un pas, et l'ambition démesurée prime les risques... Mais je m'étais grossièrement trompé sur le cas de Mansour : il égorgerait sa mère sans hésiter si elle venait à m'incommoder.

Je lui désigne un siège.

— Je préfère rester debout.

— J'apprécie ton effort, lui dis-je avec ironie.

— Je m'en veux terriblement.

— Tu as tort de te tracasser outre mesure pour un moment de faiblesse. J'ai un cœur qui bat là-dedans.

— Votre estime pour moi vaut les lauriers du monde entier.

— Tu la mérites... Tu es un brave. La preuve, tu es resté avec moi.

— Seuls les rats fuient le navire en perdition.

— Je ne suis qu'un navire pour toi ?

— Ce n'est pas ce que je voulais dire.

Je le dévisage. Il déglutit, embarrassé. Il est venu corriger son attitude précédente et s'aperçoit qu'il cumule les maladresses.

— Je me demande si je n'aurais pas mieux fait de rester en bas.

— Excellente question.

La froideur de mon ton l'accable. Il acquiesce, la nuque basse, se dirige vers la porte en traînant les pieds.

— Je ne t'ai pas autorisé à disposer.

Il tergiverse, la main sur la poignée.

— Reviens donc, idiot.

Il se retourne. Le frémissement de ses lèvres fait trembler sa barbe.

— Je me sens grossier, misérable et indigne de me tenir devant vous.

— Que t'arrive-t-il, bon sang ? Ce sont les chacals qui errent dehors qui t'empêchent de garder ton sang-froid ou bien serais-tu en train d'hésiter entre te livrer et te suicider ?

— Je suis trop pieux pour songer au suicide, Raïs. Quant à sauver ma peau, j'ai eu plusieurs fois la possibilité de le faire. On m'a même proposé un exil doré si je consentais à me rendre. Si je suis resté, c'est parce que aucun exil ne vaut votre ombre. Vous êtes la plus belle chose qui me soit arrivée. Mourir pour vous est un privilège et un devoir.

— Content de retrouver *mon* Mansour.

Mes compliments l'enhardissent. Il revient vers moi, soudain fébrile :

— Je vous prouverai que je suis le même homme, que cette guerre n'est qu'un écran de fumée et que bientôt l'éclaircie étendra sa lumière sur toute la Libye. J'exterminerai jusqu'au dernier les barbares qui vous chahutent et je ferai de leur chair le tapis rouge sur lequel vous marcherez droit sur votre trône.

— Il n'y aura pas de naufrage, Mansour. Celui qui est à la barre n'est pas n'importe qui. Il nous faut tenir quelques jours, c'est tout. Notre peuple va s'éveiller à lui-même. Il va se rendre compte que c'est Al-Qaïda qui se donne en spectacle dans nos rues. Fais-moi confiance. Ce n'est qu'une question de temps, puis nous irons pendre sur la place l'ensemble de ces charognards qui pillent, violent et assassinent au nom du Seigneur.

Il consent à occuper la chaise que je lui avais désignée, certain que je lui pardonne. Il ne sourit pas encore, mais son regard recouvre un soupçon d'acuité.

Je le laisse reprendre ses esprits avant de poursuivre :

— J'ai fait un rêve, Mansour. Un rêve prémonitoire.

— Je me souviens de celui que vous aviez fait la veille de l'invasion de l'Irak. Vous aviez tout vu.

— Eh bien, rassure-toi et vite. Le rêve qui m'a visité me réconforte : nous allons gagner avant la fin d'octobre.

— Je ne peux pas imaginer la Libye sans vous aux commandes, Raïs. Ça n'aurait aucun sens.

Sa voix est trop molle pour m'atteindre. C'est à peine un halètement. Mansour n'est qu'une flammèche orpheline ; au moment où elle s'allume, elle s'éteint. Son panache de naguère l'entoile de misère, semblable à une vieille bâche sur un corps sans vie.

Je prends mon Coran qui reposait sur l'accoudoir du canapé, l'ouvre sur une page au hasard et me mets à lire. Le chef de ma Garde ne bronche pas. Il se tient sur le rebord de la chaise, les yeux dans le vague. Je lis un verset, puis deux, trois... Mansour ne se décide pas à s'en aller.

Je repose le Coran.

— Tu veux me dire quelque chose ?

Il sursaute :

— Je... je n'ai pas entendu.

— Je te demande si tu as quelque chose à me dire.

— Non, non...

— En es-tu sûr ?

— Oui...

— Dans ce cas, pourquoi restes-tu là ?

— Je me sens bien auprès de vous.

Je le regarde de biais. Il tente de se détourner, n'y parvient pas.

— Ne te laisse pas aller, Mansour. Du cran, bon sang ! Tu es en train de partir en vrille.

Il dodeline de la tête.

Il commence à m'intriguer sérieusement.

— À quoi penses-tu ?

— À me réveiller, frère Guide.

— Tu es réveillé.

Il fourrage dans sa barbe, lisse l'arête de son nez, se gratte l'oreille. J'ai le sentiment qu'il va me claquer entre les doigts.

— Que comptes-tu faire quand cette stupide insurrection sera domptée ? lui demandé-je pour détendre l'atmosphère.

— Rentrer chez moi, dit-il spontanément comme s'il n'attendait que l'occasion de libérer un vœu très cher et jamais révélé.

— Et après ?

— Y rester...

— Chez toi ?

— Oui, chez moi.

— Vraiment ?

— Vraiment.

— Tu ne dirigerais plus ma Garde populaire ?

— Vous trouverez quelqu'un d'autre.

— C'est toi que je veux, Mansour.

Il fait non de la tête.

— La responsabilité est une charge trop lourde, Raïs. Je n'ai plus la force de porter sur mes épaules autre chose que ma chemise. Je rends le tablier.

— Pour enfiler celui de la ménagère ?

— Pourquoi pas ? J'ai envie de me retirer chez moi. Je passerai mes matins à m'occuper de mon jardin et mes soirs à prier pour me faire pardonner le mal que j'ai fait.

— Tu as fait du mal, Mansour ?

— Forcément. Aucune autorité n'échappe à l'abus. À mon insu, j'ai dû être injuste par moments et cruel par endroits.

Je déteste le timbre de sa voix.

— Tu penses que j'ai été injuste et cruel ?

— Je parle de moi, Raïs.

— Regarde-moi dans les yeux quand je t'interroge !

Mon cri manque de l'achever.

— Ai-je été injuste et cruel, Mansour ?

Sa gorge se serre. Il ne répond pas.

— Vas-y, parle. Je t'ordonne de me dire la vérité. Je ne t'en voudrai pas, promis. Je veux savoir pour qu'à l'avenir je n'aie pas de rébellion sur les bras.

— Raïs...

— Ai-je fauté vis-à-vis de mon peuple ? lui hurlé-je.

— Dieu seul est infaillible, lâche-t-il.

Pour moi, c'est comme si d'un coup je ne reconnaissais ni l'endroit où je me trouve ni celui d'où je viens. Je suis hors de moi, hors champ, outragé, violé, crucifié sur des autels ardents. Sans m'en apercevoir, je me dresse devant le commandeur de ma Garde, les griffes dehors, prêt à le réduire en pièces. Une fureur abominable a absorbé mon souffle ; je suffoque.

— Espèce d'ordure !

— Vous avez promis de ne pas vous emporter, Raïs.

— Que le Diable *t'emporte*, toi. Hier, tu t'empiffrais à mes banquets, et aujourd'hui tu craches dans la soupe. Monsieur a soudain du remords et implore l'absolution. Tu as fait ton devoir, crétin. On est exemptés de scrupules lorsqu'on défend la patrie. Les dommages collatéraux font partie de la guerre. L'affectif n'a pas sa place dans la gestion des affaires de l'État et les erreurs sont tolérées... Que me reproche-t-on au juste ? Les attentats de Lockerbie et du vol 772 d'UTA ? Ce sont les Américains qui ont commencé. Ils ont bombardé mon palais et tué ma fille adoptive. Ce sont eux qui ont lancé contre ma force de frappe aérienne de Milaga leur lâche opération *El Dorado Canyon*. Sans compter les embargos, ma diabolisation, ma mise en quarantaine sur la scène internationale. Je n'allais quand même pas les remercier pour ça... Que me reproche-t-on d'autre ? La tuerie de la

prison d'Abou Salim[1] ? Je n'ai fait que débarrasser
notre nation d'une effroyable vermine, d'un ramassis
d'illuminés à vocation terroriste. Les mutins mena-
çaient la stabilité du pays. A-t-on idée du chaos
qu'ils auraient été capables de provoquer s'ils
avaient réussi à s'évader, ces fauves ? L'Algérie a
basculé dans l'horreur la nuit où des milliers de
détenus se sont échappés du bagne de Lambèse.
On connaît la suite : une décennie de terreur et
de massacres. Je refusais que mon pays subisse le
même sort.

Je cogne sur l'accoudoir du canapé.

— Notre pays était dans le collimateur, Mansour.
En permanence. Nos ennemis cherchaient à torpiller
nos projets en utilisant n'importe quel moyen. Y
compris des responsables de chez nous. Rappelle-
toi les frères que je prenais sous mon aile, que je
couvrais de médailles et de galons, de privilèges et
d'honneurs. Ils étaient mieux traités que les
monarques. Mes largesses ne leur avaient pas suffi.
Ils voulaient encore plus, ils voulaient ma tête sur
un plateau d'argent. Tu penses que j'ai eu tort de
les exécuter ? Tu penses que j'ai mal agi ? Chaque
chose a un prix, Mansour. La fidélité comme la
trahison. On n'attendrit pas le crocodile en essuyant
ses larmes. C'était eux ou moi, les intérêts des
Croisés ou les intérêts de la Libye. Quand je pense

---

1. Plus de mille deux cents prisonniers ont été exécutés dans
la prison d'Abou Salim, à Tripoli, les 28 et 29 juin 1996.

que mes valeureux compagnons d'armes, ceux-là
même qui avaient risqué leur vie en m'aidant à
renverser ce roi fainéant d'Idris, se sont laissé
appâter par les promesses des impérialistes et n'ont
pas hésité à conspirer contre moi, contre le peuple
libyen, contre la patrie éternelle... quand je pense
à ces traîtres, je me dis que je n'ai pas été assez
sévère, que j'aurais dû être plus féroce, plus cruel.
C'est parce que mon côté paternel a pris le dessus
sur mon intransigeance de souverain que j'ai,
aujourd'hui, une insurrection sur les bras. Il me
fallait liquider la moitié de mon peuple pour sauver
l'autre, pour que chacun se tienne tranquille où il
se trouve et quoi qu'il fasse.

Je le saisis par le col et le soulève. Ma bave lui
mitraille la figure. Il tremble au bout de mes bras,
ne sachant où abriter son regard. Il tomberait
comme une tuile si je le lâchais.

— Regarde où l'on est, maintenant. Les coalisés nous tombent dessus. Des pays qui n'ont
jamais eu de problèmes avec nous nous ensève-
lissent sous leurs bombes. Même le Qatar s'est
invité à la fête. Et les nations arabes, que font-
elles ? Où sont-elles ? Elles trinquent à notre
déconfiture. Elles préparent déjà nos funérailles.

— Vous vous attendiez à quoi ? s'insurge-t-il en
balayant mes bras. Qu'ils viennent à la rescousse,
fanfare et bannière au vent ?

Je n'en reviens pas. Mansour Dhao a osé
hausser le ton et lever la main sur moi. Il m'a fait

mal aux poignets. Je recule, incrédule. Il me fixe d'un œil torve, la figure congestionnée, les narines palpitantes. On dirait qu'il va me sauter dessus.

— Je m'en fous des Arabes, fulmine-t-il, la bouche effervescente. C'est vous-même qui nous les avez mis sur le dos. Vous les méprisiez, vilipendiez, humiliez. Vous les traitiez de bétail pouilleux avec des chiens serviles à leur tête. C'est tout à fait logique qu'ils se réjouissent de notre débâcle.

Je reste sans voix, ne sachant plus si je rêve ou si j'hallucine. C'est la première fois, depuis l'Académie, qu'un officier me manque de respect. Je suis sur le point de succomber à une apoplexie.

Mansour ne se ressaisit pas. Il tremble de fureur et de dépit.

Il tend un doigt vers la fenêtre :

— Que se passe-t-il là, dehors, Raïs ? Que sont ces tapages ? Des sérénades ?

Il se rue sur la fenêtre, martèle du doigt les tentures masquant les carreaux :

— Qu'entendez-vous, Raïs ?

— Que suis-je censé entendre, abruti ?

— Un autre son de cloche. D'autres chants que les flagorneries de vos lèche-bottes et les rapports sirupeux de vos états-majors. Fini les bobards, les « tout baigne » et les « tout va bien, madame la marquise ». Dehors, il y a un peuple en colère...

— Dehors, il y a Al-Qaïda...

— Ils sont combien d'Al-Qaïda ? Cinq cents, mille, deux mille ? Qui sont donc les milliers de sauvages qui ravagent nos villes, décapitent nos vieillards, éventrent nos femmes enceintes et écrabouillent le crâne de nos enfants à coups de crosse ? Ce sont des Libyens, Raïs. Des Libyens comme vous et moi qui hier seulement vous acclamaient et qui réclament votre tête aujourd'hui.

Il revient vers moi, tel un boomerang :

— Pourquoi, Raïs ? Pourquoi ce revirement ? Que s'est-il passé pour que les agneaux se changent en hyènes, pour que les enfants décident de manger leur père ?... Oui, frère Guide, nous avons fauté. Nous avons mal agi. Vous pensiez certainement au bien de la nation, mais que saviez-vous de la nation elle-même ? Il n'y a pas de fumée sans feu, frère Guide. Si nous sommes au pied du mur, ce n'est pas par accident. Dehors, les massacres et le vandalisme ne sont pas des sortilèges, mais le résultat de nos errements.

Je suis si choqué par les propos du chef de ma Garde populaire que mes mollets menacent de céder sous le poids de mon indignation. Jamais je n'ai supposé que l'on puisse me tenir un tel langage. N'ayant pas l'habitude d'être contrarié, encore moins d'être rappelé à l'ordre par mes subordonnés, je me sens partir en mille morceaux. Tout le monde mesure combien je suis susceptible, tout le monde sait que je suis allergique aux observations qui, lorsqu'elles sont désobligeantes, me rendent fou au point de boire le sang du malappris.

Mansour aurait-il perdu la raison ?

Je retourne m'affaisser sur le canapé, me prends la tête à deux mains. Faut-il passer Mansour par les armes sur-le-champ ? Faut-il le tuer moi-même ? Une bourrasque incandescente se déchaîne dans mon esprit.

— Je ne vous juge pas, Raïs...

— Tais-toi, espèce de chien.

Il s'agenouille devant moi. Sa voix s'apaise subitement. Il dit, conciliant :

— Tous les silences de la terre ne feraient pas taire la vérité, Raïs. Je ne vous blâme pas, je vous raconte. J'ignore si nous serons vivants demain, Mouammar mon frère, mon ami, mon maître. Je me fiche éperdument de ce qu'il va advenir de moi ou de ma famille. Je ne compte pas, moi, je suis si peu de chose. J'ai peur pour vous, rien que pour vous. S'il vous arrivait malheur, la Libye ne s'en remettrait pas. Ce beau pays que vous avez bâti seul, contre vents et marées, s'émietterait comme une vieille relique vermoulue. Déjà, on a brûlé l'étendard vert pour exhiber le drapeau du sang et du deuil. Bientôt, l'hymne national que vous avez choisi pour nous sera remplacé par un chant d'opérette dénué de sens. On déboulonne votre statue, on défigure vos portraits, on saccage vos palais. C'est l'apocalypse, frère Guide. Et je ne veux pas de ça. Sans vous, le bateau irait échouer sur des rivages obscurs, son épave se disperserait parmi les vagues, et il n'y aurait plus de traces de ce qui fut. Sans vous, les tribus déterreraient la hache de guerre qui dormait sous des siècles de rancœur, de vengeances inassouvies et de trahisons impunies. Il y aurait autant d'États que de clans. Le peuple que vous avez rebouté retrouverait intactes ses fractures, et ce pays que vous avez édifié deviendrait le dépotoir des abjurations, le cimetière des serments et des prières...

— Tais-toi, je t'en prie.

Mansour pleure.

Il me prend les poignets, les serre contre lui comme s'il tenait à bras-le-corps le destin de l'humanité entière.

— Il faut triompher de ce malheur, Raïs. Pour le bien de la patrie, et pour la stabilité de la région. Je suis prêt à donner ma vie, mon corps et mon âme pour que la Libye vous soit restituée.

Je le repousse doucement, avec précaution.

— Va-t'en, Mansour. Laisse-moi seul maintenant.

Quand j'ai levé les yeux, Mansour n'était plus là – je crois que je m'étais évanoui entre-temps.

8.

J'ai arpenté la chambre de long en large en envoyant de grands coups de pied dans le vide, ne m'arrêtant que pour braquer un doigt meurtrier sur une ombre ou pour étrangler un cou imaginaire.

Je suis fou de rage. Cette larve de Mansour a osé porter la main sur moi. J'ai fait exécuter des proches pour moins que ça. Mes geôles pullulent d'indélicats, de suspects, de mécontents, d'imprudents, de gens qui ont eu le tort d'être au mauvais endroit au mauvais moment. Je ne tolère pas que l'on discute mes ordres, que l'on remette en question mes jugements, que l'on fasse la moue devant moi. Ce que je dis est parole d'Évangile, ce que je pense est présage. Qui ne m'écoute pas est sourd, qui doute de moi est damné. Ma colère est une thérapie pour celui qui la subit, mon silence est une ascèse pour celui qui le médite.

Où Mansour voulait-il en venir ? Mesurait-il l'étendue de son délire ? Il soufflait le chaud et le froid, sautait du coq à l'âne, de l'allégeance à l'abjuration avec une aisance troublante.

Il m'a déconcerté.

Sans moi, la Libye ne serait qu'un désastre sans nom et sans lendemain. Cette terre sainte serait vouée au malheur et à la honte, nos cimetières lâcheraient leurs fantômes sur nos jours et nos nuits, les survivants se mueraient en zombies et nos stèles en gibets !

Je tourne en rond dans ma cage, à traquer mes pensées dévastées comme court un forcené derrière ses hantises. *Dieu seul est infaillible !* Qu'insinuait-il par là, le chef de ma Garde ? Que je suis fauteur ou bien fautif ? Je n'ai ni fauté ni failli. J'ai tenu l'ensemble de mes promesses, gagné tous mes paris, relevé tous les défis. La furie qui s'enfielle dans la rue est une dégénérescence, une infamie, un sacrilège. Une effarante ingratitude.

Je ne suis pas un dictateur.

Je suis le vigile implacable ; la louve protégeant ses petits, les crocs plus grands que la gueule ; le tigre indomptable et jaloux qui urine sur les conventions internationales pour marquer son territoire. Je ne sais pas courber l'échine ou regarder par terre lorsqu'on me prend de haut. Je marche le nez en l'air, ma pleine lune en guise d'auréole, et je foule aux pieds les maîtres du monde et leurs vassaux.

On raconte que je suis mégalomane.

C'est faux.

Je suis un être d'exception, la providence incarnée que les dieux envient et qui a su faire de sa cause une religion.

Est-ce ma faute si le vaillant peuple de Libye tombé si bas est contraint de ravager sa patrie et de faire couler son sang telle une rinçure immonde tandis que les manipulateurs se réjouissent de son martyre en attendant de le délester de sa dernière chemise ?

Je pose mon front sur le mur, les doigts croisés derrière la nuque, respire, expire : « C'est ça, Mouammar, aère ton âme et purge-la de ce qui la vicie. Respire doucement comme si tu humais le parfum d'une femme, puis évacue les miasmes qui sont en toi... Voilà, c'est ça, c'est bien. Respire, respire. Imagine que tu es au cœur des jardins suspendus et sens à pleins poumons les essences de Babylone. Laisse ton esprit planer plus haut que les oiseaux du paradis. Tu es Mouammar Kadhafi, as-tu oublié ? Ne permets pas au menu fretin de te faire choir de ton nuage... »

Ma voix pénètre mes sens, lisse mes fibres, purifie mon être. Lentement, les battements sourds qui cognaient à mes tempes commencent à s'atténuer ; mon pouls se régule, je vais beaucoup mieux.

Je retourne sur le canapé, m'empare du Coran, l'ouvre au hasard ; je ne parviens pas à me concentrer. Les lamentations de Mansour reviennent tonner sous mon crâne comme autant de massues.

Je ferme fortement les yeux pour les refouler, m'agrippe à l'appel de mon âme.

Je ne sais écouter que cette Voix qui m'interpelle du tréfonds de mon être et qui fait vibrer mes tripes tel un virtuose les cordes d'un luth. C'est elle qui m'a incité à renverser une monarchie, à braver des empires entiers, à mettre à genoux la fatalité. Depuis toujours, je savais que j'étais venu au monde pour le marquer de mon empreinte, éclairé par cette Voix cosmique qui rugit en moi chaque fois que le doute se pointe, qui me prouve tous les jours que je suis un béni des cieux.

Je n'ai jamais prêté l'oreille à une autre voix que la mienne.

Ma mère s'arrachait les cheveux lorsqu'elle constatait que je ne l'écoutais pas, convaincue qu'on m'avait jeté un sort. Elle m'avait emmené consulter toutes sortes de charlatans ; leurs philtres et leurs gris-gris ne m'assagirent guère. Je n'en faisais qu'à ma tête, sourd aux reproches, hermétique à ce qui ne me convenait pas. *Le chitane est en toi*, sanglotait ma mère à bout. *Qu'est-ce que je t'ai fait pour que tu me rendes malade du matin au soir ? Essaye d'entendre raison pour une fois, rien que pour une fois...* J'acquiesçais par pitié pour elle et, quelques heures plus tard, une voisine venait frapper à la porte de notre maison, son pleurnichard de rejeton exhibé en pièce à conviction. *Il va falloir l'enfermer, ton djinn*, criait la voisine à ma mère. *Il n'est plus possible pour nos gosses de le croiser sur leur chemin sans qu'il se jette sur eux.*

En réalité, je n'écoutais personne pour ne pas subir leurs mensonges. On m'a toujours menti. Lorsque je demandais après mon père, ma mère me répondait, expéditive : « Il est au paradis. » Mon père me manquait. Atrocement. Son absence me mutilait. J'étais jaloux des gamins qui gambadaient autour de leurs géniteurs. Quand bien même ces derniers ne payaient pas de mine, ils me paraissaient grands comme des dieux. À cinq ans, j'avais envisagé d'attenter à ma vie. Je voulais mourir pour rejoindre mon père au ciel. L'existence sans lui n'avait ni saveur ni attrait. J'avais mâchouillé une herbe vénéneuse et n'eus droit qu'à une forte fièvre ponctuée de diarrhées. À neuf ans, j'acculai mon oncle pour qu'il me dise la vérité sur la disparition de mon père. « Il est mort dans un duel. Pour laver l'honneur du clan. » Je l'avais supplié de m'indiquer sa tombe. « Les braves ne meurent pas vraiment. Ils ressuscitent à travers leurs garçons. » Je refusais de me résoudre à cette hypothèse farfelue. Je devins incontrôlable. Mes insubordinations s'accentuaient au fur et mesure que mes cousins tisonnaient ma peine avec leurs insinuations assassines : « Ton père a été banni de la tribu. Sûr qu'il a dû commettre un parjure... » Un voisin me déclara que mon géniteur avait été tout bonnement écrasé par un tank lors de la grande offensive de Rommel. « Le pauvre errait dans la tempête de sable, avec sa chèvre. Il n'avait pas vu venir le char d'assaut. » J'étais furieux. « On a bien récupéré son corps, non ? » – « Que resterait-il d'un corps broyé par des chenilles ? Encore fallait-il distinguer la chèvre du berger dans la bouillie. » J'avais pleuré de dépit et, parce que le voisin ricanait, je l'avais lapidé furieusement. J'avais envie d'ensevelir l'humanité entière sous des éboulis.

Mon oncle ne savait plus à quel saint se vouer. Il frappait dans ses mains en signe d'impuissance, s'excusait bassement devant les gens qui se plaignaient de ma conduite.

Jusqu'à l'âge de onze ans, on m'a considéré comme un enfant dérangé. Il fut même question de m'interner à l'asile psychiatrique, mais mes parents étaient trop pauvres. Finalement, pour ramener le calme dans le hameau, mon clan dut se cotiser pour m'envoyer à l'école.

Ce fut devant une glace, dans les toilettes scolaires, que la Voix se déclara en moi. Elle m'assurait que je n'avais pas à rougir de mon statut d'orphelin, que le prophète Mohammed n'avait pas connu son père, et Issa le Christ non plus. C'était une voix magnifique ; elle absorbait ma peine comme un buvard. Je passais le plus clair de mon temps à l'écouter. Parfois, je m'isolais dans le désert pour n'entendre qu'elle. Je pouvais même lui parler sans craindre d'être moqué par des

indiscrets. Je compris alors que j'étais prédestiné à
la légende.

À l'école de Sebha, puis à celle de Misrata, mes
camarades buvaient mes paroles jusqu'à l'ébriété.
Ce n'était pas moi qui les ensorcelais avec mes
diatribes, mais la Voix qui chantait à travers mon
être. Mes instituteurs ne me supportaient pas. Je
prenais la défense des cancres, rechignais sur les
notes que l'on m'infligeait, appelais à la grève,
criais au scandale, montais les élèves démunis
contre les enfants des bourgeois, critiquais ouver-
tement le roi ; les renvois de l'école n'y changèrent
pas grand-chose.

À l'académie militaire, ma vocation de trublion
ne fit que s'affirmer. En dépit du règlement et des
délations. Je noyautais déjà certaines cellules de
protestation et rêvais d'une grande révolution qui
m'élèverait au rang d'un Mao ou d'un Gamal
Abdel Nasser.

— Frère Guide, m'appelle-t-on derrière la
porte. Le général vous prie de le rejoindre. Il vous
attend en bas.

9.

— Le premier élément du convoi vient d'arriver, m'annonce Abou Bakr au pied de l'escalier.

— Combien de véhicules ?

— Douze. Avec une cinquantaine de soldats bien équipés.

— Et mon fils ?

— Il ne va pas tarder, d'après le lieutenant-colonel Trid.

Rien qu'à la mention de ce nom, je me sens revivre.

— Il est là, Trid ?

— En chair et en os, frère Guide, tonne une voix sur ma gauche.

Le lieutenant-colonel m'adresse un salut réglementaire. Je suis si content de le revoir que j'ai envie de le prendre dans mes bras. Brahim Trid est le plus jeune lieutenant-colonel de mon armée. Il n'a que trente ans, mais d'incalculables faits d'armes à son palmarès. Petit, beau, la moustache presque insolite sur son visage d'adolescent, il incarne le modèle que je voulais appliquer à l'ensemble de mes cadres militaires. Si je disposais de cent hommes de sa trempe, je dérouterais les armées du monde entier. Le port altier, la tenue sans un pli et les bottes cirées de frais, il semble survoler la guerre et son chaos. La poussière sur son treillis scintille comme de la poudre de fée. Le lieutenant-colonel Brahim Trid est mon Otto Skorzeny à moi. Intrépide, d'une intelligence supérieure, je l'ai chargé de missions impossibles qu'il a accomplies avec un rare panache. L'encadrement des dissidents azawad maliens, le recrutement des révolutionnaires mauritaniens, les manœuvres de déstabilisation dans le Sahel, c'est à Trid que je les ai confiés. Comme je lui ai confié une partie de ma famille pour la mettre à l'abri en Algérie. Pas une fois il ne m'a déçu. Son enthousiasme, sa ténacité et sa bravoure l'installent largement au-dessus des officiers de sa génération. Sa seule présence parmi nous est un soulagement. Même Mansour se surprend à sourire.

— La rumeur te donnait pour mort, lui dis-je en me gardant de laisser transparaître ma joie.

— Eh bien, la rumeur se trompe, s'exclame-t-il en écartant les bras pour me montrer qu'il se porte comme un charme.

— Comment as-tu fait pour nous retrouver ?

— Qui aime finit par trouver, frère Guide. Votre aura est mon étoile polaire.

— Sérieusement.

— Les rebelles de Benghazi sont si désorganisés que n'importe quel groupe pourrait les infiltrer sans être inquiété. Je les ai suivis jusqu'à la ville, ensuite je me suis faufilé entre deux barrages pour atteindre le District 2. Les hommes du colonel Moutassim m'ont escorté jusqu'au point 36, le reste du chemin je l'ai parcouru les yeux fermés.

— Tu as vu mon fils ?

— Oui, monsieur. Il fait un sacré boulot. Il a repoussé une incursion à l'est et détruit nos dépôts de munitions. Je l'ai laissé en train de regrouper ses troupes. C'est lui qui m'a fourni les onze véhicules que j'ai rapportés.

— Comment va-t-il ?

— Très bien. Il m'a chargé de vous dire qu'il aura une heure ou deux de retard, mais qu'il a la situation en main.

Il débarrasse une table des verres qui traînaient dessus, déploie une carte d'état-major et nous invite, le général, Mansour et moi à nous pencher sur ses croquis.

— La situation est compliquée, mais pas insurmontable.

Avec un crayon de couleur, il trace des cercles sur la carte pour situer notre position et celles de nos ennemis.

— Le gros des forces rebelles est cantonné à l'ouest. Ce secteur est occupé par la milice de

Misrata. Une partie avance sur le littoral, l'autre progresse à partir de Sidi bel-Rawaylah sur la rocade en direction du carrefour 167. De ce côté-là, tout est verrouillé par Al-Qaïda et la Brigade du 17-février... À l'est, les dégénérés de Benghazi avancent sur la route d'Abou Zahiyan. Les deux forces tentent de se rejoindre au carrefour 167 pour isoler Bir Hamma.

— Connaissent-ils notre position ?

— Je ne pense pas.

— C'est quoi ton plan ?

— Nous avons deux possibilités pour briser l'embargo. La première, une percée vers l'est. Les barbares de Benghazi sont plus occupés à vandaliser et à piller qu'à consolider leur front.

— Non, dit le ministre de la Défense, c'est trop risqué de ce côté.

— Tout est risqué, mon général, et tout est jouable.

— Pas lorsque le Raïs est avec nous.

Le lieutenant-colonel acquiesce.

Il se rabat sur son plan B :

— Cet après-midi, un repli tactique a été observé le long de cette ligne en gras qui délimitait le front initial des rebelles. L'ennemi a reculé de deux à trois kilomètres vers le sud-est et le sud-ouest, ce qui nous laisse un no man's land assez large pour manœuvrer à notre guise. D'après mes éléments de reconnaissance, l'axe Bir Hamma – Khurb al-Aqwaz est prenable.

— Il s'agit peut-être d'un traquenard, intervient Mansour. La brèche est trop grossière pour ne pas sentir le piège. Si nous nous laissons aspirer dans l'entonnoir, l'ennemi pourrait nous prendre en tenaille et nous détruire. Nous ne pourrions même pas battre en retraite au cas où la milice de Misrata s'accaparerait du carrefour 167.

— Nous n'avons pas en face de nous une armée régulière, insiste le lieutenant-colonel. C'est juste une marée humaine qui renverse tout sur son passage. À l'ouest, la ville est passée au peigne fin par les islamistes. À l'est, malgré l'anarchie qui règne dans les rangs de Benghazi, les traînards pourraient nous intercepter dans la profondeur, et nous ignorons la constitution exacte de leurs forces. Ils sont des milliers à errer dans la poussière en quête de convois à dépouiller. Le sud est la seule échappée qui nous reste.

J'approuve le choix du lieutenant-colonel – non pas parce que ses arguments sont imparables, mais parce que mon intuition ne me trompe pas. C'est moi-même qui avais opté pour le repli plein sud, ce matin. Si je ne m'en suis pas souvenu tout à l'heure, c'est la preuve que la Voix avait parlé à ma place. Ce que je décide est voulu par le Seigneur. N'ai-je pas échappé au bombardement qui a ciblé ma résidence à Bab el-Aziziya la nuit où je fêtais, avec l'ensemble de ma famille, l'anniversaire de mon petit-fils adoré et qui a coûté la vie au cadet

de mes enfants Seif el-Arab et à ses trois fils ?
J'étais sorti des décombres sans une égratignure.
Les périls que j'ai surmontés durant mon règne,
les complots en chaîne et les tentatives d'assassinat
auraient eu raison de n'importe qui. Dieu veille sur
moi. Je n'en doute pas une seconde. Dans quelques
heures, l'embargo s'ouvrira devant moi comme la
mer devant Moïse. Je traverserai les lignes ennemies
aussi aisément qu'une aiguille le tissu.

— Nous n'avons qu'à attendre Moutassim,
conclus-je. Dès qu'il sera là, nous quitterons la
zone.

— Quatre heures est le moment propice, tente
le général.

— Pas question, l'interromps-je. Il n'y pas
d'heure propice, Abou Bakr. Il nous faut nous tirer
de ce guêpier le plus tôt possible. Les coalisés ne
vont pas tarder à nous tomber dessus avec leur
aviation.

— Je suis d'accord, dit Mansour.

— Je m'en fiche que tu sois d'accord ou pas,
lui crié-je. C'est moi qui commande ici. Préparez-
vous à évacuer les lieux. Moutassim n'aura pas à
descendre de son véhicule. Dès l'approche du
convoi, on se met en colonne et on fonce. Je veux
que personne ne sache que je figure parmi mes
troupes.

Le lieutenant-colonel ramasse sa carte, la plie
soigneusement et la range dans sa serviette.

— Tu peux disposer, colonel Trid. Tu as besoin de reprendre ton souffle. Tu es un officier formidable, ajouté-je en toisant le général et le chef de la Garde. Tu mérites mon respect.

Le jeune officier ne se retire pas. Le sourire espiègle, il me dit :

— Je ne suis pas venu les mains vides, frère Guide.

Il claque des doigts. Deux soldats poussent dans la pièce un prisonnier ligoté. Ce dernier flotte dans un pantalon de jogging déchiré aux genoux et un tricot indéfinissable. Le teint bistre, la corpulence d'un ours dégrossi, il porte des traces de coups sur le visage. Son œil tuméfié, auréolé d'une teinte violacée, est horriblement fermé. Il doit avoir la cinquantaine avec ses cheveux blancs sur les tempes et sa mâchoire tombante.

On le jette à mes pieds. Il tombe à genoux et j'aperçois une profonde entaille en train de saigner sur sa nuque.

— Qui est-ce ?

— Le capitaine Jaroud, l'aide de camp du général Younès, dit Trid, fier de son trophée de chasse.

— Il n'est pas un peu trop âgé pour la fonction ?

— Affirmatif. Ce lâche a été caporal, puis sergent-chef et chauffeur personnel du général. Il a été promu au rang d'officier par Younès sans passer par une grande école.

Je repousse du bout du pied le prisonnier. Sa puanteur est telle que je me pince le nez.

— Tu l'as ramassé dans un caniveau ?

— Je l'ai pris en stop sur le périph, ironise le lieutenant-colonel.

— Je cherchais à vous rejoindre, monsieur, gémit le prisonnier. Je le jure.

Je le considère avec dégoût :

— Parce que le général Younès t'avait laissé tomber ?

— Je ne suis pas grand-chose pour qu'on fasse cas de moi, monsieur.

— Pourquoi m'a-t-il trahi ?

— Je ne sais pas, monsieur.

— Il a cru saisir l'opportunité de se racheter auprès des insurgés et préserver ainsi sa carrière, dit Mansour.

— Son ambition était démesurée, renchérit le ministre.

Je secoue de nouveau l'ancien aide de camp :

— Tu as avalé ta langue ?

Un garde lui assène un coup sur la nuque.

— Réponds au Raïs.

Le prisonnier déglutit plusieurs fois avant de chevroter :

— Le général Younès était jaloux, monsieur. Il ne vous aimait pas. Une fois, je l'ai surpris dans son bureau avec, au bout du bras, un revolver pointé sur votre portrait.

— Et tu as gardé ça pour toi.

Il baisse la tête. Ses épaules tressautent sous la poussée d'un sanglot contenu.

— Tu aurais pu m'alerter.

— Le général a dû lui faire miroiter un statut plus important, suppose le lieutenant-colonel.

Du regard, Mansour somme ce dernier de ne pas intervenir dans la conversation.

Le renégat renifle, s'essuie le nez sur son épaule. Il n'a pas la force de lever les yeux sur moi. Le garde l'interpelle avec la pointe de son fusil :

— Le Raïs t'a posé une question.

— J'avais peur de lui, avoue le prisonnier... Être l'aide de camp d'un vautour pareil, c'est s'attendre à être dévoré tout cru sans préavis. Il sentait les choses à des lieues à la ronde et lisait dans les esprits comme dans un livre. Au moindre soupçon, il réagissait dans la seconde. Et il était impitoyable. Je me sentais en danger dès qu'il posait l'œil sur moi. Je fonctionnais aux antidépresseurs avec lui.

— Il est mort comment ?

— Comme un chien, monsieur.

— Comment meurent les chiens ? demande le ministre de la Défense. J'en avais un. Il est mort de vieillesse, entouré de l'affection de mes fils. Est-ce ainsi qu'il a fini, le général Younès ?

— A-t-il vraiment été tué ou est-ce une rumeur pour le couvrir ? Il a bien été reçu par Nicolas Sarkozy à l'Élysée. Ce n'est pas rien. Younès est un redoutable négociateur. Sûr qu'il a sauvé sa tête. Il serait peut-être quelque part dans un paradis fiscal à jouir de sa fortune ?

— Il a été exécuté, monsieur. Il n'y a aucun doute là-dessus.

— Tu étais là ?

— Non, monsieur.

— Alors, pourquoi es-tu si catégorique ? On nous bassine avec un tas d'affabulations, de nos jours. J'ai même entendu dire que c'est moi qui suis derrière l'assassinat du général. Ça m'aurait fait grand bien, sauf que ce n'est pas la vérité.

— Il n'était pas là, mais il en sait un bout, signale le lieutenant-colonel en dépit du rappel à l'ordre du chef de la Garde. (Il s'accroupit devant le traître, le saisit par l'oreille et l'oblige à relever la tête.) Raconte au Raïs ce qui s'est passé, face de rat. Tu étais aux côtés de ton patron lorsqu'il a été convié à ce simulacre de procès. Contente-toi de relater ce que tu as vu et entendu ce jour-là.

— J'ai soif, gémit le félon.

Le ministre envoie quelqu'un chercher de l'eau.

Après s'être désaltéré, le renégat raconte d'une traite : selon lui, le général Abdelfattah Younès constatait que le rapport de force penchait dange-reusement du côté de la Brigade du 17-février commandée par l'islamiste Abdelhakim Belhadj, un activiste impénitent qui avait passé six années à croupir dans mes geôles. Malgré l'énorme soutien qu'il apportait à la rébellion, ses pouvoirs opérationnels s'effilochaient. Relégué au rang de simple conseiller auprès du CNT, le général subodorait que l'effet de serre menaçait de l'étrangler ; il lui fallait reprendre les choses en main, mais on ne lui avait laissé que les yeux pour pleurer. Les Français ne l'aimaient pas ; ils s'étaient servis de lui comme d'un vulgaire pion sur l'échiquier des tractations et étaient prêts à le lâcher à n'importe quel moment maintenant qu'il n'était plus qu'un figurant sans influence sur les événements. Quant aux Américains, ils avaient déjà scellé son sort : le général était, au pire, un mort sursitaire, au mieux un criminel de guerre à livrer sous emballage aux bons soins de la Cour pénale internationale.

— Abrège, le somme Mansour. Dis-nous seulement comment est mort ton patron.

— J'y arrive, monsieur.

— On n'est pas obligés de t'attendre, salopard. Va directement aux faits.

Le félon chasse le chat dans sa gorge et déclare :

— Le général a été accusé d'être un agent double, de rouler pour vous, Raïs, et pour Sarkozy. J'étais à ses côtés lorsqu'il a reçu le mandat d'arrêt signé par Abdeljalil[1] en personne. Il était dans une colère noire et criait à la trahison. Je l'ai escorté jusqu'au tribunal militaire où on lui a signifié les

---

1. Mustapha Abdeljalil, président du CNT (Conseil national de transition).

chefs d'accusation retenus contre lui. Le général a protesté, puis il a dit qu'il ne reconnaissait pas la légitimité de la cour et il a cherché à rejoindre son QG. Un cousin, qui avait rallié les islamistes et qui était présent au tribunal, m'a empêché de raccompagner le général. Il m'a conseillé de rentrer chez notre tante, à Tripoli, et de ne pas me montrer dans la rue. Le général a été intercepté par les islamistes à la sortie du tribunal et emmené à bord d'un 4 × 4. On l'a exécuté le jour même.

— Comment ?

— Mon cousin m'a rejoint chez notre tante, à Tripoli. Il faisait partie des ravisseurs. Il m'a dit que le général a cherché à sauter du 4 × 4. On l'a assommé et conduit dans un hangar pour être interrogé. Il a été torturé avec des tenailles et un chalumeau, on lui a coupé les orteils, crevé un œil puis on lui a ouvert le ventre avec une scie à métaux.

— Ton cousin a vu trop de films gore, dit Mansour, dubitatif.

— Il a enregistré la scène sur son portable et il m'a montré comment le général a été tué. J'ai passé trois jours à vomir et trois nuits à hurler dans mon sommeil. J'en tremble encore... (Relevant brusquement la tête, il poursuit, blême.) Ce ne sont pas des êtres humains, Raïs. Rien qu'à les croiser sur mon chemin, j'avais la chair de poule. Ils se disent musulmans et c'est à peine s'ils laissent quelque chose aux démons. Ils tuent des gosses comme on écrase les mouches. Je n'ai rien vu de plus horrible que leur regard. On aurait dit qu'ils voyaient à travers la mort elle-même. Lorsque mon cousin m'a proposé de rejoindre son escadron, j'ai tout de suite accepté. Il m'aurait étripé sur-le-champ, en présence de notre tante et sans état d'âme si j'avais hésité deux secondes. Mais je ne pouvais pas m'imaginer parmi ces barbares. Je mourais de trouille rien qu'à l'idée de partager un repas avec eux. La nuit, mon cousin endormi, j'ai pris mes jambes à mon cou et couru droit devant sans me retourner. Je cherchais à regagner Syrte pour réintégrer vos rangs, Raïs, mais la ville grouillait de rebelles qui mitraillaient à tort et à travers tout ce qui bougeait. J'ai erré des jours et des nuits en me terrant dans des caves. Quand j'ai reconnu le lieutenant-colonel sur le périph, c'était comme si je sortais d'un terrible cauchemar.

— Tu y es encore, lui promet le lieutenant-colonel.

— Raïs, supplie le prisonnier en se hissant sur ses genoux, je ne vous ai pas trahi. Depuis le début, je ne pensais qu'à vous rejoindre. C'est la vérité, je le jure.

— La vérité n'existe pas. Les gens croient ce qui les arrange, et ta version ne me convient pas.

Il se traîne à mes pieds.

— Je vous vénère plus que mon père et mes ancêtres, frère Guide. J'ai quatre gosses et une femme à moitié détraquée. Épargnez-moi, pour l'amour du prophète. Je veux reprendre ma place parmi vos soldats. Je saurai être digne de votre confiance...

Confiance ?

Cet attrape-nigaud !

J'ai aboli ce mot vénéneux de mon vocabulaire avant d'apprendre à marcher. La confiance est une petite mort. Il me fallait me méfier de tout, en particulier des plus fidèles de mes fidèles car ils sont les mieux renseignés sur mes failles. Pour garantir ma longévité, je ne me limitais pas à squatter les esprits ni à corrompre les consciences – j'étais prêt à exécuter mon jumeau pour tenir à distance ma fratrie.

Pourtant, malgré les mesures draconiennes que je m'étais imposées, les précautions excessives et les purges, j'ai été trahi. Par les plus fidèles de mes fidèles. Le général Younès que je considérais comme mon âme damnée, que j'aimais plus qu'un frère, lui qui se targuait d'être le parrain de mon fils, qui ne m'oubliait dans aucune de ses prières et qui allait jusqu'à prendre mes lapsus pour des signes codifiés, il m'a trahi. Comment ne pas considérer sa fin tragique comme un châtiment divin ? En reniant ma bénédiction, il a couru à sa perte. Ce n'est même pas du mépris que je ressens pour lui, rien qu'un chagrin diffus, une sorte de pitié faite de je ne sais quoi qui m'apaise et me réconforte à la fois.

— Je vous en supplie, sanglote le renégat. Je tentais de vous rejoindre, je le jure sur la tête de ce que j'ai de plus cher au monde.

— La seule chose précieuse qui te reste en ce monde est ta tête, et elle ne vaut pas un radis, lui dis-je.

J'ordonne aux deux soldats :

— Emmenez-le droit en enfer.

Le traître tente de résister aux bras qui le ceinturent, se contorsionne, se débat, la figure décomposée. On le traîne sans ménagements vers la cour. Je l'entends me supplier en pleurant. Ses lamentations se prolongent dans des cris d'épouvante au fur et à mesure qu'on l'enfonce dans la nuit puis, après avoir épuisé tous les recours, il se met à blasphémer :

— Tu n'es qu'un cinglé, Mouammar, un fou à lier sanguinaire. Maudits soient le ventre qui t'a porté et le jour qui t'a vu naître... Tu n'es qu'un bâtard, Mouammar, un bâtard...

Quelqu'un a dû l'assommer car il s'est tu d'un coup.

Dans le silence qui s'ensuit, le mot *bâtard* continue de résonner sous mes tempes dans une multitude d'échos déchirants, si monstrueux que la Voix cosmique, qui savait si bien me raconter dans mes solitudes, s'est recroquevillée sur elle-même tel un escargot effarouché.

Dans la pièce, Mansour, le ministre et le lieu-tenant-colonel regardent par terre, la nuque basse, anéantis par les insultes obscènes que le supplicié vient de m'adresser.

Je remonte dans ma chambre digérer l'outrage.

10.

Bâtard, bâtard, bâtard...
L'injure ricoche sur les murs de ma chambre, me traverse de part et d'autre, répand à travers ma chair des millions de toxines. Qu'une détonation retentisse dans la ville, qu'une porte claque en bas, qu'un objet tombe au sol, c'est *bâtard* que j'entends. Je pourrais bétonner mes oreilles ou faire sauter mon tympan que je l'entendrais se substituer à la rumeur de la guerre qui bat son plein dans mon pays.

Pourtant, il a toujours été là, ce vocable abject, guettant mes insomnies pour m'acculer contre mes oreillers. Lorsque les clameurs se taisaient, laissant les volets se refermer sur mon intimité, lorsque soûles de mes semences mes concubines s'assoupissaient, lorsque Van Gogh se diluait dans sa toile et que dans mon palais le silence faisait corps avec l'obscurité, ce mot me rejoignait sous les draps et me tenait parfois en éveil jusqu'au matin.

Ce mot a une histoire qui a gangrené la mienne. Je venais d'apprendre ma nomination au grade de capitaine. Le soir, vautré sur mon lit, j'hésitais entre fêter ma promotion chez moi, avec ma femme et quelques amis, ou bien la célébrer au Fezzan au milieu de ma tribu. Au cours de mon sommeil, Van Gogh m'apparut dans l'armure d'un chevalier pris au piège au fond d'un lac gelé... Le matin, une jeep m'intercepta au pied de mon immeuble. Le conducteur, un jeune rouquin en tenue négligée, m'annonça qu'il était chargé de me conduire au QG. Je pensais que j'allais avoir droit à une cérémonie ou à quelque honneur de cette nature et j'avais grimpé à côté du chauffeur en lissant ma vareuse et en ajustant ma casquette.

Au QG, on m'orienta sur le bloc B, un bâtiment sinistre où officiaient les services spéciaux de Sa Majesté le roi Idris al-Sanusi. N'ayant jamais caché mon souhait de bénéficier d'un poste dans une ambassade au cœur d'un pays de cocagne, ce fut avec un espoir immense que je gravis les marches jusqu'au troisième étage, manquant de me prendre les pieds dans le tapis.

Un caporal m'accueillit comme un chien dans un jeu de quilles. Sa morgue me parut conforme à l'attitude que doit observer n'importe quel larbin relevant d'un dispositif répressif ; je n'en fis pas cas. On m'introduisit dans une salle d'attente austère meublée d'un vieux guéridon et d'une rangée de chaises en fer dont la peinture s'écaillait.

Je restai là à me morfondre durant trois heures
d'affilée sans que personne vînt voir si j'étais mort
ou bien encore de ce monde. Lorsque le caporal
réapparut, j'étais sur le point de sortir de mes
gonds.

Le commandant Jalal Snoussi m'attendait dans
son bureau. C'était un rougeaud grêlé, avec trois
cheveux sur la tête et des oreilles grotesques. Sa
figure porcine trahissait le goinfre insatiable qui
ruminait en lui, mais son regard aurait tétanisé
n'importe quelle brebis galeuse rien qu'en l'ef-
fleurant. Il représentait à mes yeux ce que je
déplorais le plus chez un officier : ventripotent, il
avilissait grossièrement le caractère martial que sa
tunique était censée lui conférer.

Entre nous deux, le courant ne passait guère. Je
le connaissais depuis l'Académie, où je l'avais eu
comme instructeur durant ma deuxième année
d'élève officier. Il enseignait la topographie alors
qu'il était incapable de s'orienter sur le terrain à
l'aide d'une carte et d'une boussole. En réalité, sa
mission à l'Académie consistait à ficher les indélicats et à établir des rapports quotidiens sur les
faits et gestes des nouvelles recrues : il incarnait
la délation officielle.

Le retrouver dans un bureau au troisième étage
du bloc B ne m'étonna point, sauf que je compris
aussitôt que mon rêve d'un poste à l'étranger
n'était pas à l'ordre du jour.

Le commandant Jalal Snoussi ne me désigna pas de chaise. Il souleva sa bedaine pour s'asseoir, effeuilla d'un doigt dédaigneux les quelques documents qui constituaient un dossier puis, après s'être frotté le nez, il me dévisagea avec intensité :

— Sais-tu pourquoi je t'ai convoqué, lieutenant ?

— Capitaine, lui rappelai-je.

— Pas encore. Vous ne serez promu que dans deux mois, ce qui me laisse la latitude de m'y opposer.

— Vous vous opposeriez à un décret, commandant ?

— Absolument. C'est dans mes prérogatives. Les services spéciaux de Sa Majesté ont le droit d'annuler jusqu'aux décisions des hautes instances si elles mettent la royauté en danger.

Il exagérait. Il n'était qu'un sous-fifre moisissant dans un cagibi où défilaient les militaires issus de la plèbe afin d'être intimidés, un lèche-bottes qui s'écrasait comme une fiente devant plus fort que lui, prêt à envoyer un parfait innocent à la potence pour montrer à ses maîtres combien il veillait au grain.

Parce qu'il avait un nom qui sonnait comme celui du roi, le commandant Jalal Snoussi faisait croire qu'il était, lui aussi, à l'instar de Sa Majesté, originaire d'Algérie et qu'il entretenait d'excellents rapports avec le prince héritier.

En vérité, il n'avait pas plus de noblesse qu'un chacal teigneux. Un pied dans chaque magouille, les yeux plus gros que le ventre, il se faisait graisser la patte pour la moindre des choses et s'empiffrait aux frais de la monarchie sans être obligé de porter la main à la poche, allant jusqu'à se ravitailler auprès des garnisons dont il tenait les chefs à sa merci : tous les soirs, on lui livrait de quoi nourrir une famille pendant un mois – volaille, mouton entier dépiauté et dépecé chez un artisan-boucher, cageots de fruits et légumes, caissons de boîtes de conserve –, et tous les matins, les crève-la-dalle s'étripaient autour de ses poubelles que certains plaisantins avaient baptisées la « cantine des miracles ».

Je le haïssais à mort, et il le savait.

— Tu es ici parce que le tentacule dans ta bouche est si long qu'on pourrait te pendre avec, hurle-t-il en claquant le dossier sur son bureau.

Je ne réagis pas. Si ce gros porc avait eu des preuves contre moi, il m'aurait envoyé droit devant le peloton d'exécution. J'étais persuadé qu'il prêchait le faux pour savoir le vrai.

— Je t'ai à l'œil, Mouammar.

— Lequel, commandant ? Celui qui louche ou bien celui qui louvoie ?

— Les deux, lieutenant. Ceux qui finiront par te faire rentrer sous terre. Je suis au courant de ton petit manège, espèce d'Ibliss. Tu bourres le crâne

des crétins avec tes théories à la con sur la révolution et tu oses médire de la monarchie qui a fait
du va-nu-pieds que tu es un officier. Tu pues
encore la crotte de tes dromadaires, si tu veux
savoir.

— L'important n'est pas d'où l'on vient, mais
le chemin que l'on a parcouru. Personne ne m'a
fait de cadeau. J'ai étudié sans bourse aucune et je
me suis construit moi-même. Votre grade ne vous
autorise pas à m'offenser, commandant.

— Il m'autorise à te marcher dessus. À ta place,
je ne jouerais pas au héros. Tu n'en as pas l'étoffe.
Une grande gueule, c'est tout ce que tu es. Un beau
parleur qui finit par croire à ses propres élucubra-
tions. On m'a signalé les conciliabules que tu tiens
çà et là. Tu es en train de noyauter une bande d'im-
béciles dans ton unité, n'est-ce pas ?

— Je vous défie d'en apporter la preuve, commandant. Votre accusation est gravissime. Je suis
un officier intègre et compétent. Je fais mon travail
dans les règles et je connais mes droits. Je ne
détourne pas les rations de mes hommes, moi, et
je n'exige pas un centime des gens que je favorise.

Il s'embrase, manque de déchirer les feuillets
qu'il tient dans ses mains.

— Qu'es-tu en train d'insinuer, lieutenant ?

— Je n'insinue pas, je suis clair et prêt à
défendre mes propos devant le tribunal. En feriez-
vous autant ?

— Non, non, reviens sur ce que tu as dit. C'est quoi cette histoire de ration et de centimes ?

— Vous voulez que je vous fasse un dessin, commandant ? Tout le monde est au courant de vos trafics. Quant à celui qui vous a monté contre moi, j'ignore où il veut en venir, mais je ne me laisserai pas piétiner. Je n'ai rien à me reprocher. Vos allégations sont aussi farfelues que dangereuses. Vous rendez-vous compte de ce que vous avancez ? Moi, un perturbateur ?

Je hurlais exprès pour le désarçonner.

Il me pria de me calmer et de m'asseoir. Je refusai et restai debout, vibrant de fureur. Je savais qu'il n'y avait pas grand-chose dans le dossier qui lui brûlait les doigts et qui n'était probablement même pas le mien.

Il s'épongea dans un mouchoir, le souffle débridé.

Je le tenais.

— J'exige le nom du mouchard. Il va devoir répondre de ses calomnies devant la cour martiale.

— Ça va, fit le commandant. Tais-toi, maintenant. C'est parce que je t'ai à la bonne que je t'ai convoqué. On raconte que tu te laisses aller à des discours réactionnaires...

— Qui ça, « on » ?

— Je fais mon boulot, moi aussi. Il ne m'est pas permis de laisser quelque chose au hasard. J'ai entendu dire que...

— Que quoi ?

Il partait en vrille, le commandant.

Pour l'achever, je claquai des talons et quittai le bureau en promettant à tue-tête de porter cette histoire devant le juge des armées. En réalité, j'avais si peur que je faisais tout pour brouiller ses esprits. Ce fut alors qu'un sergent me rattrapa dans le couloir :

— Mouammar Kadhafi, venez dans mon bureau.

Il ne m'avait pas salué ; il se tenait devant moi, la veste par-dessus le ceinturon, les manches retroussées, ce qui était contraire au règlement. Pour quelqu'un comme moi, à cheval sur la discipline, la désinvolture insolente du subalterne frisait le sacrilège. Non seulement il m'avait appelé par mon nom sans lui adjoindre mon grade, en plus il m'intimait presque l'ordre de le suivre dans son bureau. Je suffoquais d'indignation.

Frêle et blond, le sergent avait le teint des nantis, les yeux bleus et une bouche de fille, le genre de jeune loup élevé au biberon de la vieille bourgeoisie libyenne que l'on confie aux services de Sa Majesté pour qu'il apprenne à fouler au pied le petit peuple. J'en avais rencontré légion au lycée et j'avais eu à subir leur morgue hypertrophiée au point de songer au meurtre. La haine que j'avais pour cette catégorie d'énergumènes dorés m'avait inspiré l'essentiel de mes diatribes. Chaque fois

que j'en croisais un sur ma route, je crachais sous
ma chemise pour éloigner les maléfices.

Le sergent avait un seul point à résoudre :

— Il y a un petit problème dans votre filiation,
Mouammar.

— Quel problème ? Et puis, dites « mon lieutenant » quand vous vous adressez à moi. Nous
n'avons pas gardé les chèvres ensemble.

— Je n'ai jamais été berger, moi, me rétorqua-
t-il, plein d'allusion fielleuse. Inutile de vous rappeler que la fonction prime le grade, lieutenant.
Dans ce bureau, c'est moi qui mène la danse, que
ça vous plaise ou non. Ma hiérarchie m'a chargé
de vérifier la véracité des informations sur votre
fiche signalétique. Vous devez savoir que plus
on monte en grade, plus on est appelé à occuper
des fonctions de grande importance ; par voie de
conséquence, il devient impératif de ne pas se
tromper sur le postulant...

— C'est quoi, le problème ?

— Votre père...

J'étais outragé d'être bousculé par un sous-
officier, et doublement de devoir lui répondre au
sujet de ma famille.

— Il est mort dans un duel d'honneur.

— Ce n'est pas ce que j'ai sur votre fiche.
D'après l'enquête que nous avons menée auprès de
votre clan, vous êtes né de père inconnu. Certaines
indiscrétions avancent que vous êtes l'enfant
naturel d'un Corse nommé Albert Preziosi, un

aviateur recueilli et soigné dans votre tribu après que son avion a été abattu par un chasseur allemand en 1941.

Mon poing partit de lui-même. Le sergent le reçut en travers de la figure ; il tomba à la renverse, le nez en bouillie. Je n'eus pas le temps de l'achever. Quatre hommes me sautèrent dessus et me jetèrent à terre. Le commandant Jalal Snoussi ricanait dans l'embrasure, les bras croisés sur la poitrine. Il était aux anges, ravi d'avoir été plus malin que moi. Il m'avait piégé. La convocation dans son bureau n'était que la première étape de son plan qui consistait à me faire perdre mon sang-froid, me préparant à réagir ainsi à la provocation de son subordonné.

— Qu'est-ce que je te disais, Bédouin ? Que je m'opposerais à ta promotion. Me crois-tu, maintenant ?

Et moi qui le prenais pour un supplétif zélé avec de la graisse à la place du cerveau. Le commandant avait une longueur d'avance sur le Diable[1].

Je fus traduit devant le conseil de discipline.

Après les arrêts de rigueur et le report de ma promotion au grade de capitaine, j'étais rentré chez

---

1. Lors de l'opération d'assainissement que j'avais menée personnellement pour désinfecter les institutions de la République de la vermine monarchiste, j'ai obligé le commandant Jalal Snoussi à creuser sa tombe à mains nues.

Je le brusquai :

— Qui est Albert Preziosi ?

Il porta un doigt sur sa joue, les sourcils bas, réfléchit longuement :

— C'est un nom de chez nous ?

— C'est un nom chrétien.

— Je n'ai fréquenté de chrétien à aucun moment de ma vie.

— Essaye de te rappeler. Ça remonte à loin, à une époque où les chrétiens débarquaient dans nos maisons sans y être invités.

— Les colons préféraient la proximité de la mer. Le désert, ce n'était pas pour eux.

Je me levai pour le dominer d'une tête. Il me parut plus petit qu'un gnome.

— Tu veux me faire croire qu'aucun soldat mécréant ne s'était risqué dans notre fief ? Certains endroits portent encore les traces des Panzers de l'Afrika Korps. Il y a des carcasses de tanks à moins de trois kilomètres d'ici. Tu étais déjà père de famille dans les années 1940. Tu as inévitablement croisé un chrétien sur ton chemin. Un déserteur ou bien un blessé que le clan aurait recueilli par charité musulmane.

Il fit non de la tête, le front plissé.

— Tu ne te souviens pas d'un avion abattu lors d'un combat aérien et tombé dans le secteur en 1941 ?

Il fit de nouveau non de la tête.

— L'aviateur n'a pas été tué. Des gens de chez nous s'étaient portés à son secours et l'avaient caché et soigné... Impossible que tu puisses oublier un événement de cette nature. C'était un Français, un Corse...

— Aucun avion n'est tombé chez nous. Ni pendant la guerre ni avant ni après.

— Regarde-moi !

Ma voix claqua comme une déflagration :

— C'est vrai que je suis un bâtard, la pisse d'un fumier de Corse qui passait par ici ?

La crudité de mes propos l'obligea à rentrer le cou. Il n'est pas dans nos usages de proférer des grossièretés devant plus âgé que soi. Mais mon oncle ne protesta pas. Il mesurait ma colère et ne se sentait pas de taille à la contenir. Sa langue fourcha lorsqu'il laissa échapper dans un souffle :

— Je ne vois pas ce que tu veux dire.

— T'arrive-t-il de voir autre chose que le bout de ton nez ? Allez, dis-moi la vérité. C'est vrai que je suis l'avorton d'un fumier de Corse ?

— Qui t'a raconté cette énormité ?

— Ce n'est pas une réponse.

— Ton père est mort dans un duel d'honneur. Je te l'ai dit mille fois.

— Dans ce cas, où est sa tombe ? Pourquoi ne repose-t-il pas dans notre cimetière avec nos disparus ?

— Je...

— Tais-toi. Tu n'es qu'un menteur. Vous m'avez tous menti. Je n'ai aucune raison de vous accorder le moindre crédit. Si mon père est encore de ce monde, je le retrouverai même si je dois soulever chaque pierre sur terre. S'il est mort, je finirai par savoir où est sa tombe. Quant à vous tous, je vous bannis de mon cœur et je passerai le restant de mes jours à vous maudire jusqu'à ce que le bon Dieu me crie « Assez ! ».

Je n'ai plus adressé la parole à mon oncle.

Après avoir renversé le roi et proclamé la république, j'étais retourné, la tête vibrante de clameurs, fêter ma révolution dans ma tribu. Je revenais prendre ma revanche sur mon clan. On m'avait caché un secret ; je leur prouvais que je lui survivais. Le Fezzan avait fait peau neuve pour moi, ce matin-là. La nudité du désert se voulait une page blanche prête à recueillir le récit de mon épopée galopante.

Assis en tailleur dans la *kheïma* du doyen, le sourire plus haut que le croissant au sommet des minarets, je savourais l'exaltation que je suscitais chez mes gens. Ils ne me prenaient plus de haut, ils étaient prosternés à mes pieds. Les gamins couraient dans tous les sens, surexcités par ma présence ; les femmes m'épiaient du fond de leurs cachettes ; les hommes se pinçaient au sang. Sanglé dans mon uniforme tel un prince dans son costume d'apparat, j'avais partagé le thé avec mes proches et quelques compagnons d'armes. Le désert résonnait de nos éclats de rire. Une lune pleine ornait le ciel chauffé à blanc. Au beau milieu du jour.

Mon oncle se tenait à l'extérieur de la tente, ne sachant pas s'il devait se réjouir de mon retour ou en pâtir. Je n'avais pas levé les yeux sur lui. Il m'importait peu de savoir si j'étais le bâtard d'un Corse ou le fils d'un brave.

J'étais ma propre progéniture.

Mon propre géniteur.

Sommes-nous tous les enfants de nos pères ? Issa le Christ était-il le fils de Dieu, ou le fruit d'un viol passé sous silence, ou bien la conséquence d'un flirt imprudent ? Quelle importance ? Issa a su faire de sa jeune vie une infinitude, de son chemin de croix une Voie lactée et de son nom le code d'accès au paradis. Ce qui compte, c'est ce que nous sommes capables de laisser derrière nous. Combien de conquérants fabuleux ont engendré de rois fainéants ? Combien de civilisations ont disparu une fois confiées à des héritiers de basse envergure ? Combien d'esclaves ferrés ont brisé leurs chaînes pour bâtir des empires pharaoniques ? Je n'avais nul besoin de savoir qui était mon père ni de chercher la tombe d'un illustre inconnu. J'étais Mouammar Kadhafi. Pour moi, le big-bang a eu lieu le matin où j'avais pris d'assaut la radio de Benghazi pour annoncer à un peuple ensommeillé que j'étais son sauveur et sa rédemption. Bâtard ou orphelin, je m'étais substitué au destin d'une nation en devenant sa légitimité, son identité. Pour avoir donné naissance à une nouvelle réalité, je n'avais plus rien à envier aux dieux des mythologies ni aux héros de l'Histoire.

J'étais digne de n'être que Moi.

11.

Je suis en train de lire le Coran, reclus dans ma chambre, lorsqu'un missile tombe sur le District 2, suivi d'un deuxième... Le troisième est d'une puissance telle que des carreaux dégringolent des fenêtres et se brisent au sol dans un tintement glaçant.

Le bombardement annoncé des coalisés a commencé.

Je sors dans le couloir. Au rez-de-chaussée, quelqu'un crie d'éteindre les lumières et de ne pas sortir dans la cour. Les rares bougies qui éclairaient le salon d'en bas sont vite soufflées. Un quatrième missile s'abat non loin de l'école qui nous sert de QG. Une sorte de fébrilité me gagne, excite ma curiosité. Je veux assister au pilonnage de ma ville, grimpe quatre à quatre les marches de l'escalier qui mènent sur la terrasse.

Je m'attendais à l'apothéose, à un ciel balafré d'étoiles filantes, orné de halos de feu grands comme des soleils éclatés, avec des projecteurs braqués sur le danger, des soldats qui ripostent, des camions de pompiers qui filent vers les sinistres et des souffles brûlants qui halètent de tous les côtés – je n'ai droit qu'à un folklore bas de gamme aussi lugubre qu'ingénu, ne vois qu'une cité sans courage offerte à la furie des drones, couchée dans sa poussière telle une putain dans ses draps impurs. Hormis les bombes qui pleuvent d'un ciel anonyme et les cibles qui partent en fumée semblable à des haillons emportés par le vent, Syrte est aussi navrante qu'une bourde de l'Histoire. Pas un phare de voiture, pas un ululement d'alarme, pas un coup de feu tiré d'un toit ; rien que le tohu-bohu des explosions et une obscurité peuplée d'esprits frappeurs qui brusquement se terrent, un doigt sur les lèvres pour ne pas se trahir.

Je suis déçu.

Je me rappelle la nuit du vendredi 28 mars 2003 qui a vu un déluge de feu s'acharner sur Bagdad. J'étais cloué dans mon fauteuil, chez moi à Bab-el Aziziya, face à mon écran plasma, littéralement absorbé par les ténèbres glauques embaumant la cité d'Haroun al-Rachid. Les fusées éclairantes s'écarquillaient au milieu du ballet des Tomahawk, les mitrailleuses de la défense aérienne traçaient d'émouvants pointillés phosphorescents dans le ciel, les immeubles s'effondraient dans un florilège de béton et d'acier, les dépôts de munitions s'éparpillaient en une multitude de comètes filandreuses. Ce fut un spectacle magique, une épouvantable féerie. À l'arsenal apocalyptique des coalisés répliquait la vaillance des Irakiens. David et Goliath se livraient un combat titanesque dans une mise en scène orchestrée par un chorégraphe de génie. Les sirènes d'alerte se joignaient à celles des ambulances rendant la symphonie du malheur insoutenable d'intensité et de beauté. J'aurais aimé mourir, cette nuit-là, dans les bras meurtris de Bagdad, au milieu d'une nation orgueilleuse admirable de pugnacité ; j'aurais aimé faire corps avec une stèle qui éclaterait en mille morceaux ou être déchiqueté par un obus en criant : « Mort à l'envahisseur ! » Rien ne saurait être plus gratifiant pour un martyr que de rendre l'âme sans rendre les armes, en s'identifiant à chaque boule de feu, à chaque claquement de culasse, à chaque bout de chair happé par la spirale du sacrifice suprême.

Quel chagrin de ne rien voir de tout ça chez moi.

Syrte n'est qu'un terrible gâchis, un vieux tapis râpé que l'on bat au gourdin, un paillasson sur lequel on essuie ses bottes crottées. On dirait que les dieux l'ont choisi pour faire le deuil de leur olympe.

— Ne restez pas à découvert, frère Guide.

Abou Bakr me supplie de me mettre à l'abri. Il se tient sur le palier, trop effrayé pour me rejoindre sur la terrasse ; sa pâleur luit dans la pénombre, rappelant un cierge au fond d'une chambre mortuaire.

— Frère Guide, s'il vous plaît, venez par ici.

J'ai envie de lui cracher dessus.

Mansour et le lieutenant-colonel Trid arrivent au pas de course.

— S'il vous plaît, Raïs, ne restez pas là.

— Pourquoi ? leur fais-je. C'est ma ville qu'on détruit. Comment puis-je regarder ailleurs ou me voiler la face.

Abou Bakr hasarde un pas sur la terrasse.

— Retourne dans ton trou, le sommé-je. Je ne suis pas comme Ben Ali, prêt à me défiler. Je suis né sur cette terre et cette terre sera mon mausolée.

— Vous risquez d'être blessé.

— Et alors ?

— Nous avons besoin de vous, Raïs.

— Allez-vous-en, c'est un ordre. Je n'ai pas peur de mourir.

Un missile s'écrase à quelques encablures de l'école. Le ministre de la Défense se retranche sur le palier, les mains collées aux oreilles, plié en deux. Mansour, lui, se jette à terre. Seul le lieutenant-colonel ose s'approcher de moi, ne sachant comment me convaincre de le suivre.

La bâtisse touchée se transforme en une gigantesque torche. Les arbres alentour prennent feu à leur tour, jetant une lumière monstrueuse sur la rue jonchée de gravats incandescents.

Grisé par le fracas des armes et la folie des hommes, je me surprends à hurler, les bras déployés pour réclamer la foudre du ciel :

— Vous ne me prendrez pas vivant. Je ne suis pas une gousse d'ail faite pour finir au bout d'une corde. Je me battrai jusqu'à la dernière goutte de mon sang... Venez me chercher, bande de chiens ! Je suis le soldat d'Allah, la mort est mon sacre. Ma place est au paradis, aux côtés des prophètes, entouré d'anges et de houris, et sur ma tombe d'ici-bas, il y aura autant de couronnes que de fleurs dans une prairie... Qu'est-ce que vous croyez ? Que j'allais me cacher dans un puits comme Saddam jusqu'à ce que l'on vienne me débusquer ? Vous ne passerez pas votre coton-tige sur la muqueuse de ma bouche. Vous ne m'exposerez pas sur les chaînes télé avec une barbe de clochard. Et toi, Sarkozy, tu n'auras pas l'honneur d'exhiber mon scalp du haut de ton perchoir.

— Je vous en prie, Raïs, venez avec moi, me supplie Trid.

Je ne l'écoute pas.

Je n'entends que mes cris déchirants qui dominent le vacarme des déflagrations. Je suis un brasier rugissant. Une force surnaturelle s'empare de moi. Je me sens en mesure de tenir tête aux ouragans.

Une bombe explose à proximité de l'école. Son onde de choc me cingle le visage, avive ma fureur.

Je monte sur le parapet, ouvre grand les bras, la poitrine bombée, le menton haut.

Le lieutenant-colonel m'attrape par la taille pour m'empêcher d'avancer sur le rebord du muret. Il croit que je vais me jeter dans le vide. Je le repousse de la main, refais face au massacre et nargue le monde entier.

— Je suis là, en chair et en os, debout sur mon socle. Faut-il que je m'immole pour que vous me voyiez ? Allez, du cran, bande de lâches, venez me chercher si vous en avez le courage. Je ne suis pas Ben Ali, ni Saddam, ni Ben Laden.

— Raïs, il y aurait des snipers en face...

— Qu'ils se montrent donc. Ils ont tellement la trouille qu'ils rateraient une colline.

Le lieutenant-colonel me ceinture de nouveau. C'est comme si son étreinte pressait sur ma rage pour la faire gicler jusqu'aux étoiles. Je prends appui sur lui, porte mes mains en entonnoir autour de ma bouche et lance mon cri plus loin qu'un obus :

— Sois maudit, Saddam Hussein ! Pourquoi t'es-tu laissé prendre vivant et exécuter un jour de l'Aïd ? Tu aurais pu te tirer une balle dans la tempe et priver les Croisés des joies d'une danse macabre. Par ta faute, le prophète Mohammed et sa nation n'osent plus regarder Dieu en face... Moi, je me tiendrai droit devant le Seigneur. Je le regarderai dans les yeux jusqu'à ce qu'Il se détourne. Parce qu'Il n'aura pas été foutu de lâcher ses oiseaux d'Ababill sur ces mécréants qui bavent et défèquent sans retenue sur une terre musulmane.

Mes hurlements envahissent l'espace dans un déchaînement d'éléments inouï ; le ciel et la terre s'entremêlent, puis l'abîme...

12.

J'ai froid.

Dans la grotte que je parcours, il fait noir comme si aucune lumière ne s'y était manifestée depuis la nuit des temps. Je marche à tâtons, la peur au ventre ; j'ignore où je vais, mais je sais que je ne suis pas seul. Une présence insaisissable gravite autour de moi. Je perçois un bruit de pas ; dès que je m'arrête, le bruit cesse aussitôt.

— Qui est là ?

— ...

— Qui est là ? Je ne suis pas sourd. Inutile de jouer à cache-cache, je t'entends.

— Tu n'entends que l'écho de tes frayeurs, Mouammar.

Je me tourne vers la Voix ; elle résonne partout, ricoche sur la pierre, va et vient dans un souffle caverneux.

— Je n'ai pas peur.

— Si, tu as peur.

— De qui voudrais-tu que j'aie peur ? Je suis le Guide impavide et je marche la tête si haute que je fais reculer les étoiles.

— Dans ce cas, pourquoi bats-tu en retraite dans le noir ?

— Je suis peut-être mort.

— Sans subir ton châtiment ? Trop facile, ne trouves-tu pas ?

— Qui es-tu ? Un ange ou un démon ?

— Les deux. J'ai même été Dieu, autrefois.

— Alors, montre-toi, si tu en as le courage.

Quelque chose remue au fond de la grotte, s'approche. Je parviens à distinguer une forme humaine. C'est un misérable en haillons, la barbe embroussaillée, avec une interminable corde au cou qu'il traîne au milieu de ses chaînes.

— Qui es-tu ?

— Tu ne me reconnais pas ? Il y a à peine une minute, tu me maudissais.

— Saddam Hussein ?

— Seulement ce qu'il en reste, un pauvre diable errant dans l'obscurité.

— Je suis donc mort.

— Pas encore. Le repos de ton âme doit d'abord s'acquitter du martyre de ta chair.

— Que me veux-tu ?

— Te regarder en face, lire la terreur qui s'est substituée à ton visage. Tu m'as insulté, maudit et craché dessus. Laisse-moi te rappeler que j'ai été pendu par l'Amérique et ses alliés. Mais toi, tu seras lynché par ton propre peuple.

— Ton peuple t'a trahi, toi aussi.

— Ce n'est pas la même chose, Mouammar. Sous mon règne, l'Iraq était une grande nation. Haroun Rachid n'a pas été meilleur souverain que moi. Mes universités produisaient des génies, Bagdad festoyait chaque soir, et chaque grain que je semais bourgeonnait avant de toucher terre. Mais toi, Mouammar, qu'as-tu fait de ton peuple ? Une meute affamée qui te dévorera cru.

— Je ne connaîtrai pas ton sort, Hussein. Mon destin est entre mes mains. Et Dieu aussi.

— Dieu n'est avec personne. N'a-t-il pas laissé mourir son propre fils sur la croix ? Il ne viendra pas à ton secours. Il te regardera crever comme un chien sous les éboulis. Et quand tu rendras l'âme, Il ne sera même pas là pour l'accueillir. Tu erreras dans le noir, comme moi, jusqu'à ce que tu deviennes une ténèbre parmi les ténèbres.

— Peut-être, mais je ne suis pas encore mort. J'ai la force de me battre et de retourner la situation à mon avantage. Je ne finirai pas comme toi. Mon trône me réclame, et dans moins d'une semaine, on célébrera ma victoire, et plus personne ne haussera le ton devant moi.

— On ne célèbre pas le vent. Là où il se déclare, il ne fait que passer. Ce qu'il emporte importe peu, ce qu'il laisse derrière lui sera effacé par le temps.

— Je ne suis pas le vent. Je suis Mouammar Kadhafi !

Mon hurlement me réveille. Le plafond pivote au ralenti ; je recouvre lentement mes esprits. Je suis étendu sur le canapé dans ma chambre, patraque, lessivé, la gorge écorchée. On a dressé une petite table sur laquelle un plateau propose un repas froid : un sandwich aux œufs durs, une barre chocolatée, de la confiture et une carafe d'eau.

— Il vous faut prendre des forces, Raïs, dit le général Abou Bakr. Le médecin a diagnostiqué une légère hypoglycémie. Vous n'avez rien mangé depuis le déjeuner de la veille.

— Que m'est-il arrivé ?

— Un petit malaise lié à l'épuisement. Mais rien de grave. Mangez, s'il vous plaît. Ça vous fera grand bien.

Autour de moi, en plus du ministre de la Défense, sont assis Mansour et le lieutenant-colonel Trid. Ils m'observent à la loupe.

— Je n'ai pas faim.

— Vous êtes déshydraté, frère Guide, et vous manquez de calories. Vous ne tiendrez pas long-temps comme ça.

— C'est moi-même qui ai préparé le sandwich, dit Trid pour me certifier que les mets ne sont pas empoisonnés. J'ai rapporté avec moi quelques pro-visions.

Je repousse le plateau.

— Je n'ai pas faim.

— Raïs...

— Je n'ai pas faim, bon sang ! Vous n'allez quand même pas me forcer à avaler ma soupe en me pinçant le nez.

— Le médecin...

— J'n'en ai rien à foutre, du médecin. Il ne va pas m'apprendre comment gérer ma vie... Quelle heure est-il ?

— Presque quatre heures trente, monsieur.

— On ne devrait pas être déjà partis ?

— Le colonel Moutassim n'est pas encore rentré, monsieur.

— Ce n'est pas un empêchement. Le jour va bientôt se lever. On va faire comment pour sortir de la ville ?

— Nous ne disposons que d'une trentaine de véhicules, monsieur, argumente le général. Ce n'est pas assez pour forcer le siège.

Je tape dans mes mains en signe d'exaspération.

— Qu'est-ce qu'il ne faut pas entendre. Je n'ai que des bras cassés autour de moi. Tu es l'état-major, général, mon ministre de la Défense. C'est à toi de trouver la solution. C'est ton boulot. Tu veux que je le fasse à ta place ? Qu'est-ce que tu fiches depuis des heures ? Tu attends que Gabriel vienne t'éventer avec ses ailes, c'est ça ?

— Gabriel est mort à Ghar Hira et j'ai ma gourde pour me rafraîchir.

C'est la première fois que le général Abou Bakr profère un blasphème en ma présence, lui dont la piété dépasse l'entendement. C'est aussi la première fois qu'il se permet de me répondre sur un ton réprobateur. Sa protestation est à peine audible, mais elle suffit à me calmer. Je comprends que mes hommes sont trop éprouvés pour supporter mes sautes d'humeur, que la situation exige de moi un minimum de sagesse et de considération envers mes plus proches collaborateurs.

Le général garde les yeux au sol. Il regrette de s'être adressé à moi sur un ton inapproprié. Il sait que j'ai la susceptibilité à fleur de peau et que s'il m'arrive parfois de pardonner l'insolence, je ne l'oublie jamais.

Mansour se gratte le haut du crâne, embarrassé.

Quant au lieutenant-colonel, il continue de m'observer, un vague sourire sur les lèvres.

Je les dévisage tous les trois, tour à tour, libère un soupir et demande si on a des nouvelles de mon fils Moutassim.

— Non, monsieur, m'apprend le général, conciliant. Les bombardements ont été sévères. Le colonel a été contraint de garder sa position.

— Comment va-t-il ?

— On ne sait pas, monsieur.

— Et qu'est-ce que vous attendez pour le savoir ? Envoyez quelqu'un auprès de lui tout de suite.

— J'y vais, se propose Trid

— Non, pas toi. J'ai besoin de toi ici. Trouvez quelqu'un d'autre.

— Où aller chercher le colonel, Raïs ? dit le général. On ne sait pas où il se trouve. Il a évacué la garnison.

— On ne sait pas, on ne sait pas, vous n'avez que ça à la bouche. Voyez avec le chauffeur de la patrouille de reconnaissance.

— Il est blessé, monsieur.

— Il simule. Je n'ai pas décelé de sang sur lui. Bottez-lui le cul et, s'il n'est pas en mesure de tenir un volant, mettez-le sur le siège du mort. Il n'aura qu'à montrer le chemin à l'officier chargé de contacter mon fils.

Le général promet d'y remédier sur-le-champ et se dépêche d'exécuter mes ordres. Il revient au bout de quelques minutes.

— Je suis navré, Raïs. Le chauffeur a succombé à ses blessures.

— Bon débarras. De toute évidence, c'était un tire-au-flanc pas foutu de réfléchir deux secondes. L'officier n'a qu'à partir seul. Il se débrouillera. Je veux que mon fils rentre au QG avant le lever du jour.

— Je ne pense pas que ça soit une bonne idée, dit Mansour.

— Je suppose que tu en as une moins mauvaise.

— Les bombardements ont cessé. Les rebelles vont se redéployer sur la ligne qu'ils occupaient avant leur repli. Leurs guetteurs doivent être revenus dans leurs postes avancés. Notre messager pourrait tomber dans un guet-apens. S'il est pris vivant, ils le tortureront jusqu'à ce qu'il leur avoue où nous sommes.

— Je te demande si tu as une autre idée.

Le général sort son portable et s'apprête à composer un numéro.

— Qu'est-ce que tu fiches ?

— J'essaye de joindre mes garçons. Ils sont avec le colonel.

— Éteins-moi ça, crétin. Nos téléphones sont branchés sur satellite. Tu veux nous faire repérer ou quoi ? C'est comme ça qu'ils ont réussi à me localiser à Bab el-Aziziya.

Le général se confond en excuses et range son portable. Je lui ordonne de dépêcher un officier auprès de mon fils et le congédie.

Mansour se recroqueville dans son coin. Je ne comprends pas pourquoi il reste là à tisonner la rage en train de sourdre en moi au lieu de seconder le général.

— Tu ferais mieux de reprendre en main tes hommes, lui dis-je. Les laisser livrés à eux-mêmes pourrait leur saper le moral. Secoue-toi un peu, merde. Tu es déprimant.

Il opine du chef, soulève sa carcasse et s'en va en traînant le pied.

— Un partisan du moindre effort, dis-je au lieutenant-colonel, une fois seul avec lui. Pour ce qui est de plastronner les jours de fête, il n'a pas son pareil, mais dès que les choses sérieuses commencent, il se dégonfle comme un pneu. La guerre nous dévoile tant d'aspects négatifs sur les êtres. C'est d'une tristesse !

— Vous êtes dur avec lui, monsieur. Mansour a appris que son neveu avait été capturé par les rebelles de Misrata.

— Le neveu de Mansour a été fait prisonnier ?

— Il y a deux jours.

— On a la confirmation ?

— C'est le bruit qui court, ce qui ajoute au désespoir de l'oncle. C'est un brave petit gars, le neveu. Je le connais. Mansour le chérit plus que ses propres enfants. Il culpabilise parce que c'est lui qui l'a envoyé à Yafran rejoindre Seif el-Islam. D'après le témoignage d'un rescapé, le neveu est tombé dans une embuscade et a été pris vivant.

— Pourquoi ne m'a-t-on rien dit ?

— Les mauvaises nouvelles compliquent les situations, monsieur. Le général Abou Bakr est inquiet pour ses fils, lui aussi. Moutassim m'a dit qu'il les a perdus de vue depuis l'évacuation de la garnison.

— Le ministre est-il au courant ?

— Non.

Je repose le Coran sur l'accoudoir du canapé, me prends le menton entre le pouce et l'index pour méditer.

— Cette guerre nous a tout confisqué, fais-je dans un soupir. Nos enfants, nos petits-enfants, mais, de toutes les familles endeuillées, la mienne est celle qui aura payé le plus lourd tribut... Je n'ai plus envie de vivre parmi mes fantômes. Tout à l'heure, sur la terrasse, j'ai parlé de paradis, de houris, de couronnes sur ma tombe. Je n'avais pas perdu mon sang-froid. J'étais lucide et je pesais mes mots. Je voulais vraiment en finir et j'ai prié le ciel pour qu'un sniper m'abatte.

— Vous étiez en colère, c'est tout.

Je considère le lieutenant-colonel ; il soutient mon regard, sans insolence, avec juste cette perplexité interrogative qu'affichent les écoliers devant leur instituteur lorsqu'ils ne sont pas sûrs de leur réponse.

— As-tu peur de mourir, colonel ?

— Un principe m'accompagne depuis que j'ai opté pour le choix des armes : il ne faut pas avoir peur de mourir car on risque de mourir de peur. Et puis, n'est-ce pas le but final de l'existence, la mort ? On a beau posséder le monde ou tirer le diable par la queue, un jour on est appelé à tout laisser sur place, nos trésors comme notre lot de misères, et à disparaître.

Les ondes que dégage ce garçon sont saines. Elles me font du bien.

— Es-tu croyant ?

Il porte son regard sur le Coran. Significativement.

— Tu n'as rien à craindre, le rassuré-je. J'ai l'esprit ouvert.

Il dit :

— Eh bien, monsieur, avec tout le respect que je dois à l'homme pieux que vous êtes, je ne supporte pas l'idée qu'il y ait un Jugement dernier après ce qu'on a enduré ici-bas. La mort n'aurait de mérite que si elle mettait définitivement fin à ce qui a cessé d'exister.

— Tu ne veux pas aller au paradis ?

— Pour quoi faire ? Je m'imagine mal jouir ou subir la même chose l'éternité entière. Ce qui n'a pas de fin use et ennuie.

— Si tu n'as pas la foi, tu ne peux pas avoir d'idéal, colonel.

— J'avais la foi, je n'ai plus d'idéal, monsieur. J'ai renoncé à la première pour ne pas avoir à la partager avec les hypocrites et j'ai renoncé au second parce que je n'ai trouvé personne avec qui le partager.

Il s'enhardit brusquement et ajoute :

— Savez-vous pourquoi je me suis engagé dans l'armée, frère Guide ? À cause d'un discours, plutôt une diatribe. La vôtre, monsieur. J'ai oublié à quelle occasion et où vous l'avez prononcée, mais je me souviens d'une phrase qui m'aura marqué à vie. Vous étiez hors de vous, ce jour-là. Contre nos frères du Machrek, du Maghreb et des pays musulmans. Et vous avez lâché cette phrase

qui aurait réveillé les morts mais qui n'a pas fait
se dresser un seul poil de ceux qu'elle visait : « Il
y a trois cent cinquante millions de têtes de mou-
tons ! »

Ce garçon me subjugue. Il a appris par cœur ma
colère et l'a faite sienne.

— Nous ne produisons même pas les cuillères
avec lesquelles nous touillons notre thé. Une masse
de flambeurs qui ne songe qu'à claquer du fric ou
bien à le détourner, voilà ce que nous sommes.
Notre handicap, monsieur, c'est l'absence de la
Pensée. La pensée est un outil qui nous est
étranger. Et sans la pensée, comment réfléchir à
demain, comment nous projeter dans le futur ?
Nous vivons au jour le jour, sans un souci pour les
générations à venir, et un matin, nous nous réveil-
lerons une main devant, une main derrière, en nous
interrogeant : « Mais qu'avons-nous fait de nos
nuits ? »

Il poursuit, le visage cramoisi, décidé à crever
l'abcès qui, de toute évidence, lui ronge les tripes
depuis des années :

— Ce que j'ai accompli dans ma carrière de
soldat, je l'ai fait pour vous, Raïs. Rien que
pour vous. À aucun moment je n'ai eu le sentiment
d'œuvrer pour un idéal national, identitaire ou
idéologique, parce qu'à aucun moment, non plus,
je n'ai accordé de crédit aux décideurs arabes qui,
en reculant, prétendent avancer à contre-courant.

— Je suis un décideur arabe, moi aussi.

— Vous n'avez rien à voir avec les autres. Vous êtes un Guide, un vrai, unique, irremplaçable. C'est pourquoi vous êtes seul aujourd'hui.

— Je ne pense pas que mes efforts soient vains, colonel.

— On peut toujours prêcher dans le désert, monsieur, mais on ne sème pas dans le sable.

Deux rafales retentissent dans l'enceinte scolaire.

Le lieutenant-colonel me prie de ne pas sortir de la chambre, fonce sur le couloir. Un coup de feu s'ensuit puis, le silence...

Je m'approche de la fenêtre, écarte un bout de tenture ; la vue ne donne pas sur la cour. Je me déporte sur le couloir, tends l'oreille. Des cris me parviennent, amortis par les murs. Au rez-de-chaussée, pas un mouvement, pas un bruit. J'entends des pas de course crisser sur le cailloutis de la cour scolaire, me demande si un commando nous attaquait ou s'il s'agissait d'une mutinerie.

— Qu'est-ce qui se passe ? crié-je au hasard dans l'espoir de voir quelqu'un se montrer au rez-de-chaussée.

Personne ne me répond.

Agrippé à la rampe, je descends une à une les marches, à l'affût.

Dehors, les cris ont cessé.

Je n'ose pas m'aventurer plus loin, reste au milieu de l'escalier, prêt à remonter dans ma chambre récupérer mon arme en cas de menace.

— Qui a tiré ? Qui a tiré ?

Je reconnais la voix du général.

Des soldats pénètrent dans le salon d'en bas. Ils portent deux hommes blessés. Le lieutenant-colonel leur indique où les déposer.

— Mettez-les par terre, là.

Mansour et le général accourent, déboussolés. Ils s'arrêtent devant les deux corps ensanglantés. Je les rejoins. Les deux blessés sont dans un état critique, l'un touché au cou, l'autre à la poitrine ; ce dernier fixe le plafond, choqué, la bouche ouverte sur un gargouillis.

— Un auxiliaire a pété les plombs, m'explique le lieutenant-colonel. Il a tiré sur ses collègues avant de retourner l'arme contre lui. Il gît dehors, dans la cour.

— Comment ça, il a pété les plombs ? Il a peut-être cherché à me tuer.

— Il voulait aller se battre, intervient un officier. Je crois que c'est à cause des bombardements. Il n'était pas bien depuis quelques heures. Il a même refusé de se mettre à l'abri. Puis, il a craqué. Il s'est emparé d'une arme et il a dit qu'il ne supportait plus d'attendre et qu'il voulait en découdre. Les deux soldats ont tenté de le désarmer. Il leur a tiré dessus avant de se suicider.

Il me conduit dans la cour, une torche à la main.

À deux pas du portail de l'école, sur le sol, le corps d'un homme, disloqué, jambes et bras écartés. La moitié de son crâne est arrachée. Je l'identifie grâce au bracelet qui lui enserre le poignet : c'est Mostefa, l'ordonnance qui m'avait apporté mon dîner.

13.

J'ordonne au général et au chef de la Garde de préparer la troupe pour évacuer le district dans les plus brefs délais et invite le lieutenant-colonel à me tenir compagnie dans ma chambre.

Il m'est insupportable d'être seul, calfeutré entre quatre murs dénudés qui sentent la poisse, à égrener mon chapelet comme le supplicié compte les derniers instants de son calvaire.

Je reprends mon Coran, essaye de lire ; je ne parviens pas à me concentrer. Le jeûne est en train de brouiller ma vue et d'assécher mes fibres. J'ai du mal à tenir le saint livre tant mes doigts se sont engourdis. De temps à autre, un vertige me désarçonne, j'ai envie de fermer les yeux pour ne plus les rouvrir.

Le lieutenant-colonel prend place sur la chaise en face de moi. La fatigue lui froisse les traits, cependant, il garde l'œil vif.

Je pense à Mostefa, l'ordonnance. Qu'a-t-il cherché à prouver en s'explosant le crâne ? Qu'il méritait mon estime ? En avait-il seulement un soupçon pour lui-même ? Étrange comme les hommes espèrent accéder dans la mort à ce qu'ils n'ont pas acquis pendant leur vie. J'essaye de cerner leur complexité et, là où je pose le doigt, mon empreinte est absorbée par la surface gélatineuse des mentalités. Longtemps après avoir cru caresser leur vérité, je m'aperçois que je lisais le braille à l'envers et que les mystères que j'étais persuadé d'avoir percés m'ont avalé en entier.

Tout à l'heure sur la terrasse, j'ai exigé de la mort ce que la vie menace de me prendre : mon honneur, ma légitimité de souverain, mon courage d'homme libre. J'étais prêt à mourir en héros pour que ma légende soit sauve. Ce n'était pas du théâtre. En m'exposant sur le parapet, je voulais être mon propre trophée, revendiquer la totalité de mon prestige. Il n'y a pas de honte à être vaincu. La défaite a son mérite ; elle est la preuve que l'on s'est battu... Qu'ont-ils pensé de moi, mes subordonnés, en me voyant me « donner en spectacle » ? Que j'étais devenu fou ? J'admets avoir été ridicule ; je ne réalise l'inconsistance de ma fureur que maintenant qu'un homme craignant de perdre ma confiance a choisi de perdre tout le reste avec, mais je ne regrette pas d'avoir crié haut et fort ma détermination.

La vie est tellement complexe. Et tellement incongrue. Il y a à peine quelques mois, toute

honte bue, l'Occident tapissait mon chemin de
velours, m'accueillait avec les honneurs, brodait
des lauriers sur mes épaulettes de colonel. On m'a
autorisé à dresser ma tente sur la pelouse de Paris
en pardonnant ma muflerie et en fermant les yeux
sur mes « monstruosités ». Et aujourd'hui, on me
traque sur mon propre fief comme un vulgaire
gibier de potence évadé du pénitencier. Étranges,
les volte-face du temps. Un jour vous êtes idolâtré,
un autre vous êtes vomi ; un jour, vous êtes le pré-
dateur, un autre vous êtes la proie. Vous vous fiez
à la Voix qui vous déifie en votre for intérieur puis,
sans crier gare, les lendemains vous découvrent
dissimulé dans un coin, nu et sans défense, et sans
l'ombre d'un ami. Dans l'immense solitude de
mon règne, là où personne d'autre que moi ne
s'aventure, je n'excluais pas l'éventualité d'être
assassiné ou renversé. C'est le tribut de la souveraineté absolue, en particulier celle que l'on a
usurpée dans le sang. Entre la hantise du péché
et les affres de la trahison, il y a moins d'un millimètre d'interstice. On vit avec une sonnette
d'alarme greffée au cerveau. Dans le sommeil
comme dans l'état de veille, que l'on se recueille
ou que l'on rue dans les brancards, on se tient sur
ses gardes. Une fraction de seconde d'inattention
et tout ce qui a été n'est plus. Il n'existe pas plus
violent stress que celui d'un souverain – un stress
exacerbé, obsessionnel, permanent, très proche de

celui de ces bêtes assoiffées que l'on voit incapables de se désaltérer dans une retenue d'eau sans
regarder dix fois autour d'elles, l'oreille en alerte,
l'odorat filtrant l'air comme on renifle un potentiel
gaz mortel. Mais à aucun moment je n'aurais soup-
çonné une disgrâce aussi grossière. Finir dans une
école désaffectée, cerné par des légions d'ingrats,
dans une ville qui ne ressemble à rien ! Comment
admettre de tomber si bas, moi dont la pleine lune
se sentait à l'étroit dans l'infini ? Je tuerais de
mes mains des milliers d'insurgés que cela ne me
consolerait pas du chagrin qui est en train de
me ronger le cœur comme un cancer. Je me sens
si floué, si trahi ; même la Voix qui chantait en moi
s'est tue d'un coup. Le silence qui erre à travers
mon être m'effraie autant qu'un spectre dans la
nuit.

Ma montre affiche cinq heures.

Des moteurs rugissent dans l'enceinte du bâtiment.

Du bout du doigt, j'écarte la tenture masquant
la fenêtre pour regarder dehors.

— Vous pouvez l'arracher, monsieur, dit le
lieutenant-colonel Trid. Nous n'avons plus rien à
cacher.

— Tu crois ?

— Laissez-moi faire. Vous risquez de vous
salir.

Il me prie de reculer avant de tirer sur la tenture
qui tombe dans un flot de poussière.

Dehors, le jour n'a pas besoin de se lever. Le District 2 le devance avec ses ruines fumantes et ses bâtisses en flammes.

Syrte peut toujours faire passer ses bûchers pour des morceaux de soleil, elle n'empêchera pas la nuit de récidiver.

Par endroits, des mitraillettes se remettent à s'invectiver. Les hommes s'éveillent à leur crise. La nuit ne leur a pas porté conseil.

Dans le ciel encore chargé d'orages meurtriers, on devine quelques drones en train de tourner en rond, vautours en quête d'agonisants.

Tout porte à croire que la ville ne se relève de ses décombres que pour y retomber bientôt. L'aurore, en ce matin saigné à blanc, évoque une vilaine plaie purulente.

— Nous n'allons pas nous en sortir cette fois, colonel.

— Pourquoi dites-vous ça, monsieur ?

— Mon intuition est à l'arrêt. Il fait un drôle de silence à l'intérieur de moi, et c'est mauvais signe. Je ne me rendrai pas, mais je ne verrai pas non plus se lever un autre jour.

— J'ai souvent été pris au piège, monsieur. Je pensais que c'en était fini de moi. Au Mali, par exemple, du côté d'Aguelhok, l'armée nous avait encerclés. J'étais avec le chef de la rébellion azawed et trois de ses lieutenants dans une hutte, tous assoiffés, affamés, avec une poignée de cartouches et des bouts de prières, convaincus que nous étions en train de vivre les dernières heures de notre existence. Puis, le vent de sable s'est levé. Nous sommes sortis de la hutte et nous avons traversé l'encerclement sans problème.

— Il n'y aura pas de vent, aujourd'hui.

Je retourne m'effondrer sur le canapé.

— Nous allons perdre la guerre, colonel.

— C'est la Libye qui vous aura perdu, frère Guide.

— C'est du pareil au même.

— Dans un sens.

— Et dans l'autre ?

Il ne répond pas.

— Il n'y a qu'un seul sens, colonel. Celui que trace le destin. Nous ne sommes que des acteurs ; nous interprétons des rôles que nous n'avons pas forcément choisis et nous n'avons pas droit de regard sur le scénario.

— Vous avez écrit l'Histoire, Raïs.

— Faux. C'est l'Histoire qui m'a écrit. Lorsque je jette un coup d'œil par-dessus mon épaule pour dresser le bilan de mon parcours, je constate que rien ne relève de ma volonté, ni mes faits d'armes ni les miracles qui m'ont tiré d'affaire. Je me dis, finalement, pourquoi se compliquer l'existence si tout est écrit d'avance. Il y a quelqu'un là-haut qui sait ce qu'il fait... Mais ces derniers temps, je me demande s'Il n'a pas tourné la page. Il s'est peut-être choisi un autre pion et Il s'amuse avec.

Je m'empare du Coran, le repose aussitôt.

— Vois-tu, colonel ? Les plus beaux contes de fées, quand ils se réinventent dans d'interminables feuilletons, finissent par lasser. C'est sans doute ce qui est arrivé au Solitaire qui est là-haut. Il n'a plus de suite dans les idées en ce qui me concerne. Il n'a même plus envie de connaître la fin de l'histoire.

Le lieutenant-colonel me tend la barre chocolatée.

— Il y a du magnésium là-dedans, monsieur. Il vous faut prendre des forces.

— Je n'ai pas faim.

— S'il vous plaît...

— Je suis un mystique. Le jeûne me convient parfaitement. Il m'aide à garder les idées claires lorsque les choses se mutinent.

Il n'insiste pas, retourne s'asseoir sur sa chaise.

Ce garçon est magnifique. Il a de la classe, du relief, un calme olympien qui ne cesse de le grandir à mes yeux, et – vertu rarissime –, il est naturel. Il est conscient de l'immense estime que j'ai pour lui, mais ce privilège ne l'a pas gâté. D'autres en auraient abusé jusqu'à satiété ; lui, il l'enfouit précieusement dans son cœur comme un don sacré qu'il ne pourrait montrer sans le compromettre.

— Quel est l'exploit que tu aurais aimé accomplir et que tu n'as pas eu l'occasion de célébrer, colonel ?

Il réfléchit deux secondes puis, d'une voix imperceptible, il dit :

— Être aimé à la folie.

— Ne t'aime-t-on pas assez ?

— Ma femme se plaint d'avoir épousé un fantôme à cause de mes incessantes absences et mes camarades me jalousent à mort. Chaque fois que je pars en mission, ils prient pour que je ne revienne pas.

— Pour tes camarades, c'est normal. Ils t'en veulent de les surpasser et te détestent parce qu'ils savent qu'ils ne t'arriveront jamais à la cheville. Mais, ça ne peut pas être le cas pour ton épouse. Si elle est jalouse, contrairement à tes collègues, elle prie jour et nuit pour que tu lui reviennes.

— Elle sait que je lui suis fidèle.

— Personne ne sait ce genre de choses. Quelle que soit la confiance que nous avons en l'être aimé, lorsqu'il n'est pas là, le doute devient notre animal de compagnie.

— Je ne l'ai pas trompée une seule fois en huit ans de mariage.

— Ça viendra. Tu es séduisant, brillantissime et en avance sur l'ensemble de tes camarades de promotion. N'importe quelle femme se laisserait tomber dans tes bras. Les femmes sont plus fascinées par les galons que par les muscles.

— Pas toutes, frère Guide.

— Qu'en sais-tu ? Il y a des secrets d'alcôve que les maris fidèles ne soupçonnent guère.

Il lève les mains en signe de reddition.

— J'espère ne rien avoir à soupçonner.

— Cela ne dépendra pas de toi.

Il rit, à court d'arguments.

Sa bonne humeur m'apaise un peu.

— À part être aimé, quel serait l'autre exploit qui te tiendrait à cœur ?

Il joint ses mains autour de son nez, médite. Ses yeux s'enflamment quand il déclare :

— Mon grand-père était berger. Il n'avait pas d'instruction, mais il avait une belle philosophie de la vie. Je n'ai jamais connu quelqu'un d'aussi à l'aise dans la pauvreté. Un rien suffisait à son bonheur. Si le hasard faisait bien les choses, pour mon grand-père, toutes les choses étaient bien faites. Il s'agissait de les voir telles qu'elles étaient, et non telles qu'on voudrait qu'elles soient. Selon lui, être en vie est une chance formidable, aucune peine ne devrait la supplanter. Je me souviens, il végétait n'importe comment et portait les mêmes hardes en hiver comme en été. Lorsque j'étais allé le trouver pour lui proposer de venir vivre avec ma petite famille à Ajdabiya, dans une belle villa qui donnait sur la mer, il avait fait non de la tête. Pour rien au monde il ne voulait s'éloigner de sa tente montée au milieu de nulle part.

— Il avait tort.

— Peut-être, mais il était ainsi, mon grand-père. Il avait choisi d'être bien dans sa peau, de ne pas se prendre la tête. Il était heureux et riche des joies qu'il partageait avec les gens qu'il aimait. Chaque matin, il se levait aux aurores pour regarder le ciel s'embraser. Il disait qu'il n'avait besoin de rien de plus... C'est l'exploit que j'aurais souhaité accomplir, monsieur. Être comme mon grand-père : un homme sans tracasseries, avec juste le menu bonheur que procure l'aisance dans la frugalité.

— Je ne comprendrai jamais comment certains font passer la résignation pour de l'humilité.

Je trouve le lieutenant-colonel touchant de naïveté et je me demande ce qu'il va advenir de lui. J'aimerais qu'il s'en sorte. Il est si jeune, si beau et si vrai. Il incarne l'armée libyenne dont je rêvais, l'officier qui me survivrait pour perpétuer mes enseignements et ériger des monuments à ma gloire à chaque commémoration.

— Tu connais Van Gogh, colonel ?

— Bien sûr. Il s'est coupé l'oreille pour que le rouge sur sa toile soit aussi vif que sa douleur.

— Quelqu'un m'a raconté qu'il s'est mutilé à cause d'une idylle malheureuse.

Il écarte les bras :

— À chaque génie ses affabulateurs, monsieur. Vous disiez vous-même qu'il n'y a de vérité que la mort et que c'est le mensonge qui façonne la vie.

— Je ne me souviens pas d'avoir dit une chose pareille.

— On vous attribuera beaucoup d'autres cita-
tions plus tard, frère Guide. Comme on attribue
des poèmes anonymes à el-Moutanabbi. Cela fait
partie de la mythologie.

— Crois-tu que l'on se souviendra de moi ?

— Tant que ce pays s'appellera la Libye.

— Et que retiendra-t-on à mon sujet ?

— Vous aurez des adeptes et un tas de détrac-
teurs. Les premiers vous loueront, les seconds vous
reprocheront ce que vous avez accompli puisqu'ils
n'auront pas fait grand-chose de leur existence. Ce
qui est sûr, c'est que la majorité du peuple vous
regrettera.

— Je ne pense pas, colonel. Ce peuple n'a pas
plus de mémoire qu'une tête brûlée ; sinon,
comment expliquer qu'il veuille ma perte après ce
que j'ai réalisé pour lui ?

Le colonel passe ses doigts dans ses cheveux.
Une mèche se rabat sur son front, prononçant un
peu plus son charme de jeune centurion. Il con-
temple ses mains blanches avant de raconter :

— Lorsque j'effectuais un stage à l'académie
de Vistrel, près de Moscou, je m'étais fait des
amis parmi les Russes. C'étaient des jeunes officiers ou bien des jeunes cadres fraîchement sortis
des universités. Ils se baladaient avec des cellu-
laires multifonctionnels, roulaient dans des 4×4
dernier cri, se parfumaient chez Dior, portaient
des habits griffés et réservaient des tables dans des
restaurants chics en tapant sur le clavier de leurs

ordinateurs sophistiqués. C'étaient des gens d'aujourd'hui, riches et pressés. Ils n'avaient pas connu l'époque des pénuries, le *tchorni khleb*[1], les interminables queues devant les magasins aux étals quasiment vides, l'espionnite des bureaux de poste ni la prison ferme pour de vulgaires blue-jeans achetés au marché noir. Pourtant, quand ils se soûlaient jusqu'à prendre une fourchette pour un râteau, ils se plaignaient de tout, trouvaient que le pays allait droit dans le mur, qu'il y avait trop de médiocrité dans les institutions et trop de corruption chez les oligarques, et ils regrettaient la poigne de fer de Staline... Ça a toujours été ainsi, frère Guide. Au Chili, on regrette Pinochet, en Espagne, Franco, en Irak, Saddam, en Chine, Mao, comme on regrette Moubarak en Égypte et Gengis Khan en Mongolie.

— Quelle image gardera-t-on de moi ? Celle du Guide ou celle d'un tyran ?

— Vous n'êtes pas un tyran. Vous avez fait exactement ce qu'il fallait. Il y a deux sortes de peuples. Le peuple qui fonctionne avec sa tête et le peuple qui marche à la trique. Le nôtre avait besoin du fouet.

Je ne suis pas d'accord.

Je reconnais avoir été sans pitié avec mes dissidents. Comment agir autrement ? Le règne est une culture compatible avec un seul ingrédient : le

---

1. « Pain noir », en russe.

sang. Sans le sang, le trône est un échafaud potentiel. Pour préserver le mien, j'empruntais au caméléon ses vertus : je marchais un œil devant, un œil derrière, le pas millimétré, la langue sentencieuse plus rapide que la foudre. Dès lors que je me fondais dans le décor, le décor devenait moi...

— Je n'ai sévi que contre les traîtres, colonel. Le peuple, je l'ai aimé et protégé.

— Il ne fallait pas, Raïs. Vous l'avez trop couvé, et ça l'a rendu paresseux et malin. Il s'est complu dans son statut d'assisté jusqu'à ne plus être fichu de chasser une mouche sur un gâteau. Le travail, le savoir, l'ambition, c'est une perte de temps pour lui. Et puis, pourquoi se casser la tête puisque le frère Guide pense pour tous. Le Libyen n'a rien compris à votre générosité. Il n'a fait qu'en abuser. Il s'est pris pour un petit seigneur et a cru que ça allait durer. Du moment qu'il a des gens qui bossent à sa place, qui font tourner ses machines en attendant de le torcher, pourquoi chercher midi à quatorze heures ? Il est fatigué rien qu'à regarder ses nègres se défoncer pour lui. Aujourd'hui, il cherche à prouver qu'il vaut plus qu'il ne coûte vraiment, alors il mord la main de celui qui le nourrissait. Si je puis me permettre, monsieur, je pense que vous auriez dû traiter le peuple de la même manière que vos dissidents. Ce peuple ne mérite pas que l'on se soucie de lui. C'est une nation de boutiquiers et de contrebandiers qui ne sait que traficoter et flemmarder.

Les générations de demain vous regretteront comme on regrette Staline en Russie, car, avec le cheptel qui est le nôtre, qui dévaste ses enclos et lynche ses héros sur la place publique, nos petits-enfants n'auront pour héritage qu'un pays livré aux prévaricateurs et aux marionnettes.

Je suis à la fois peiné et soulagé par les propos du lieutenant-colonel.

— Ce que j'aime chez toi, mon garçon, plus que ta bravoure, c'est ta franchise. Jamais personne parmi mes ministres et mes courtisans ne m'a éveillé à cette réalité. Tous me flattaient d'avoir fait d'un ramassis de Bédouins le peuple le plus fier de la terre.

— Ils ne vous ont pas menti. Vous avez effectivement fait d'un archipel de tribus hostiles les unes aux autres une même chair et une même âme. Mais la vérité vraie était ailleurs.

— Pourquoi me l'a-t-on cachée ?

— Parce qu'elle n'était pas bonne à dire, monsieur.

À cet instant, la porte de la chambre s'ouvre avec fracas. C'est Mansour qui se présente au rapport, essoufflé et fébrile, la figure congestionnée. Il m'annonce que l'officier chargé de contacter Moutassim est de retour et que c'est l'heure de nous mettre en route.

Je me tourne vers le colonel et lui dis :

— C'est le moment de vérité.

14.

Au rez-de-chaussée, c'est le branle-bas.

Les soldats courent dans tous les sens. Les officiers hurlent pour se donner du cran, bousculent les traînards, pris de court par la tournure des événements.

J'ai horreur de la pagaïe. Elle est contagieuse et elle exacerbe ma nervosité.

Je soupçonne le général de n'avoir pas briefé ses cadres. Je le cherche dans la mêlée, ne le vois nulle part.

Mansour m'amène l'officier à l'origine de la ruée. Il est jeune, probablement à peine sorti de l'Académie. Il me salue, manque de tomber, désarçonné par la mine que je dois arborer.

— Où est mon fils ?

— Il arrive, monsieur.

— Tu l'as vu ?

— Oui, monsieur.

— De tes propres yeux ?

— Absolument, monsieur. Il m'a confié les vingt véhicules que j'ai menés ici et m'a chargé de vous dire que nous devons partir tout de suite.

— Pourquoi n'est-il pas rentré avec toi ?

— Il commande le troisième et dernier élément du convoi. Au moins trente véhicules. Son allure est ralentie par les deux batteries de Shilka.

— Il est sain et sauf ?

— Oui, monsieur. Il dit qu'il nous rattrapera sur la route dès qu'on aura quitté le District 2.

Mon 4 × 4 blindé se range dans la cour du bâtiment. Le lieutenant-colonel Trid forme une colonne, convoque les chauffeurs et les instruit sur la marche à suivre :

— Il y aura quatre voitures devant pour la reconnaissance. Je serai dans le cinquième véhicule qui suit à deux cents mètres d'intervalle. Le Raïs sera dans le sixième. Il est strictement interdit de s'arrêter en cas d'agression. Si je quitte le convoi, vous me suivrez. Ne me perdez pas de vue une seconde. Vous assurerez la protection du Raïs.

Les chauffeurs claquent des talons et regagnent leurs voitures.

Mansour et moi nous installons dans le véhicule blindé.

— Où est le général ?

— Il est parti voir si ses deux fils sont arrivés, m'informe le chef de la Garde.

— Ramenez-le. Je veux qu'il monte avec moi.

On court chercher le général.

Les minutes pèsent des tonnes.

Je peste sur la banquette, cogne sur le siège du conducteur.

Abou Bakr arrive enfin, pantelant et en sueur.

— Où étais-tu passé, bon sang ?

— Je cherchais mes garçons.

— Ce n'est pas le moment. Monte devant, on n'attendait que toi.

À peine le général a-t-il grimpé dans le 4 × 4 que le convoi s'ébranle.

Nous quittons l'école dans un tintamarre fou. Dans la hâte, des voitures se heurtent, d'autres montent sur le trottoir pour se dépêcher d'intégrer leur place dans le dispositif.

Le convoi finit par se discipliner en empruntant le grand boulevard qui mène vers le littoral. Lorsque nous atteignons le premier carrefour, je m'aperçois que j'ai oublié mon Coran et mon chapelet dans la chambre.

Nous roulons à découvert sur la route côtière, à la merci des embuscades et des raids aériens.

Rarement le jour n'aura été aussi lumineux. Malgré la brume des incendies, sa clarté est éblouissante. On dirait que le soleil s'est rangé du côté des traîtres – il m'éclaire comme une cible.

Je ne suis pas tranquille, mais je ne m'inquiète pas outre mesure. J'ignore où l'on m'emmène, ce qui m'attend au tournant, cependant, je n'ai pas le sentiment qu'il soit essentiel de le savoir. Cela changerait quoi ?

Mansour est crispé à ma droite. Il étreint son fusil comme s'il s'accrochait à une corde qui l'extirperait du gouffre qu'est devenu son mutisme. Ses doigts sont blancs aux jointures. D'énormes poches olivâtres lui ecchymosent le bas des paupières. Je crois qu'il est en train de prier en son for intérieur.

Dans la cabine du véhicule, le ronronnement du moteur a quelque chose de funeste.

Le général surveille dans le rétroviseur l'apparition du troisième élément du convoi que commande mon fils et dans lequel il espère retrouver ses deux garçons.

— Tu vois quelque chose ?

— Pas encore, Raïs.

— Pourquoi Moutassim s'est-il encombré des batteries Shilka ? grogne Mansour. Ce sont des engins chenillés trop lourds, ils vont nous ralentir. Et puis, que peuvent des 37 mm contre l'aviation des coalisés. Leur portée est minime. C'est à peine si elles sont utiles à chasser l'outarde.

— C'est mieux que rien, dit le général.

— Ce n'est même pas crédible comme garniture, persiste Mansour. Les rapaces qui nous bombardent nous tirent dessus depuis le large. Ils n'ont pas besoin de s'approcher de nos côtes.

Je préfère ne pas entendre.

J'essaye de ne penser à rien, plonge au fond de moi à la recherche de cette Voix qui me promettait monts et merveilles du temps où je faisandais à l'ombre de mes aigreurs de lieutenant désabusé et qui pavoisait ma solitude de promesses et de défis. Où est-elle passée ? Pourquoi se tait-elle ? Je l'imagine recroquevillée quelque part dans la noirceur qui me gagne, ne rencontre que l'écho de mes prières. La Voix a quitté le *navire*, et personne n'est à la barre.

Je suis seul face au destin, et le destin regarde ailleurs.

Même Syrte, la ville de mon adolescence, le berceau de ma révolution, me tourne le dos.

Il fut un temps où les places publiques et les stades grouillaient de monde venu m'acclamer. Les trottoirs et les tribunes débordaient de ferveur et de fanions. On brandissait mes portraits et on chantait mes louanges jusqu'à extinction des voix. C'est ici, dans cette cité où les souvenirs se renient déjà, que j'avais fait le serment de mettre la fatalité à genoux. Ce n'était qu'une médina discrète qui ne savait ni se vendre ni faire rêver. Sur la corniche, les riches songeaient aux casinos qui miroitaient sur la rive nord de la Méditerranée ; sur le bas-côté, les pauvres ne songeaient à rien tant ils étaient dépossédés de tout. Une fracture abyssale tenait à distance les deux classes qui, lorsqu'il leur

arrivait de se croiser, ne se rencontraient pas
vraiment ; elles se traversaient de part et d'autre
comme des fantômes, chacune dans leur monde
parallèle. Je me souviens des bouis-bouis qui
puaient la disette et la pisse, des souks infestés
de mendiants et de chapardeurs faméliques, des
mioches au crâne boursouflé d'escarres qui roulaient dans la poussière en riant comme des pos-
sédés, de leurs narines fuyantes et de leurs yeux
chassieux assiégés de mouches, je perçois encore
les pestilences nauséabondes qui émanaient des
rigoles à ciel ouvert, revois les femmes en haillons
qui psalmodiaient sous les porches, la voix plus
tragique qu'un chant funèbre, les chiens errants
veillant sur les décharges les crocs devant pour
éloigner les crève-la-dalle, les vieillards crucifiés
contre les murs semblables à des épouvantails
dont personne ne voulait, et les venelles étroites et
obscures comme les esprits tordus. C'est ici, dans
cette ville, que j'avais sauté à la gorge d'un agent
de police ; ce dernier avait giflé un père devant
ses enfants simplement parce qu'il demandait son
chemin. Je n'ai jamais oublié le regard de ces
gamins, je n'ai rien vu de plus outrageant. C'était
l'époque grasse des féodaux usurpateurs, des bourgeois musulmans qui parlaient italien, de leurs
berlines qui ne s'arrêtaient pas lorsqu'ils renver-
saient les piétons.

Et j'ai dit : « Ça suffit ! »

Et j'ai crié : « Mort au roi ! »

Et j'ai instauré la république et rétabli la justice.
Ici même, dans cette ville qui renonce à ses valeurs, j'ai rasé les bouis-bouis, démoli les taudis, érigé des immeubles plus hauts que les tours, construit des hôpitaux équipés de fond en comble d'appareils ultramodernes, des magasins étincelants jolis comme des aquariums, des esplanades splendides et des jets d'eau en mosaïque ; j'ai tracé des boulevards aussi larges que les champs de manœuvre et j'ai fait des terrains vagues des jardins fleuris pour que le rêve fusionne avec la joie de vivre.

Grâce à qui ?

Grâce à moi, et à moi seul, le père de la révolution, l'enfant béni du clan des Ghous venu de son désert semer la quiétude dans les cœurs et dans les esprits.

J'étais Moïse descendant de la montagne, un livre vert en guise de tablette.

Tout me réussissait.

Les chantres du nationalisme arabe me glorifiaient à tue-tête, les leaders du tiers-monde me mangeaient dans la main, les présidents africains s'abreuvaient à la source de mes lèvres, les apprentis révolutionnaires me baisaient le front pour accéder à l'extase ; tous les enfants du monde libre se revendiquaient de moi.

Qui n'aurait pas encensé Mouammar, tombeur des monarques et chasseur des aigles, le Bédouin du Fezzan sacré Raïs à l'âge de vingt-sept ans ?

J'étais jeune, beau et fier, si prodigieux qu'il me suffisait de ramasser n'importe quel caillou pour en faire une pierre philosophale.

Et que vois-je aujourd'hui, moi, le faiseur des miracles dont le charisme ensorcelait les femmes ? Que vois-je après tant de réalisations pharaoniques et de couronnements ?... Une ville livrée au pillage et au vandalisme d'une armée de djinns ; des villas aux volets déglingués ; des squares sinistrés ; des édifices profanés et des carcasses de voitures calcinées – le gâchis à perte de vue.

On a biffé mes slogans, défiguré les portraits de moi qui ornaient les façades ; j'en vois un sur un panneau, lacéré à la baïonnette et souillé d'excréments.

Est-ce ainsi que l'on aime son Guide ?

Ce peuple m'a-t-il sincèrement aimé ou n'a-t-il été qu'un miroir qui me renvoyait mon narcissisme démesuré ?

Non, il ne pouvait pas s'identifier à moi ; c'est moi qui me voyais en lui, prenant ses clameurs pour argent comptant. Maintenant, je sais : le peuple de Libye ne connaît pas grand-chose à l'amour. Il m'a menti comme se sont moqués de moi les profiteurs et mes concubines. J'étais son sésame ; il me flattait pour que je lui tienne la chandelle pendant qu'il s'empiffrait à mes frais. J'ai fait d'une minable populace une nation heureuse et prospère, et voilà comment on me remercie.

Je craignais la traîtrise dans mes palais, elle me prend au dépourvu dans les faubourgs.

Le lieutenant-colonel Trid n'avait pas tort : le peuple est un cheptel. Contrairement à moi, qui vivais retranché dans mes bunkers, Trid est un homme de terrain. Il évoluait parmi les gens, avait appris à les connaître sur le bout des doigts. J'aurais dû traiter le peuple de la même manière que mes dissidents, être plus sévère et plus méfiant à son encontre.

Mes dissidents se sont trahis ; le peuple, lui, m'a trahi.

Si c'était à refaire, j'exterminerais la moitié de la nation. J'en enfermerais une partie dans des camps pour l'initier au travail jusqu'à ce qu'elle meure à la tâche et je pendrais le reste sur la voie publique pour l'exemple. Staline n'avait-il pas hanté le sommeil des bons et des mauvais, des grands et des petits ? Il est mort dans son lit, couvert de lauriers, et son peuple l'a pleuré à se noyer dans ses larmes. Le syndrome de Stockholm est l'unique recette qui marche avec les nations fourbes.

Comment a-t-on osé me frapper dans le dos ?

La Libye me doit tout. Si elle part en fumée aujourd'hui, c'est parce qu'elle est indigne de ma bonté. Pars donc en fumée, maudite patrie. Ton ventre est infécond, aucun phénix ne naîtrait de tes braises mourantes.

Pour qu'une forêt se régénère, elle doit brûler, nigaude-t-on.

Foutaises !

Il est des forêts qui ne survivent pas à leur sinistre. Elles s'immolent comme les illuminés, et plus jamais herbe ne pousse sur leurs cendres.

Plus tard, la mythologie dira de la Libye qu'elle fut une forêt née des cheveux d'un homme providentiel lui-même né d'un rêve sublime, sous un ciel en fête, avec un étendard tout vert qui danse dans le vent et un livre de la même couleur où sont recueillies, tels des versets sacrés, les prières que j'ai faites et celles que j'ai exaucées pour que ma patrie, devenue ma fille, n'ait à subir ni la foudre des démons ni le feu des pyromanes.

La Libye est mon tour de magie, mon Olympe à moi.

Ici, dans mon royaume où je suis le plus humble des souverains, les arbres se tiennent debout depuis qu'ils se sont mis au garde-à-vous au son de mes clairons.

Ici, sur la terre des poètes et du cimeterre, chaque éclosion ne s'accomplit que parce qu'elle a confiance en moi, chaque ruisseau qui jaillit parmi les pierres tente de me rejoindre, chaque oisillon qui s'égosille dans son nid me loue.

Que s'est-il passé pour que, d'un coup, l'*âya*[1]

---

1. Verset coranique.

s'inverse, pour que mes sujets conspuent mon verbe ?

Quel chagrin !

Je suis comme le bon Dieu, le monde que j'ai créé s'est retourné contre moi.

15.

Abou Bakr s'agite sur son siège, pivote du cou, les yeux tantôt dans le rétroviseur tantôt par-dessus son épaule. Nous roulons depuis une dizaine de minutes à travers des quartiers abandonnés : boutiques saccagées, maisons ouvertes aux quatre vents, grilles désarticulées ferraillant dans le silence et carcasses de voitures carbonisées témoignent de la férocité des vandales. Ces derniers ont ravagé jusqu'aux rares arbres qui jalonnent la chaussée.

On se croirait dans une ville morte.

Sur le fronton d'un établissement, un drapeau noir flotte en signe de deuil.

Adieu Syrte. Plus rien ne sera jamais comme avant pour toi. Tes fêtes auront l'accent des oraisons funèbres et tes festins un goût de cendre. Mais, je t'en conjure, lorsqu'on te demandera ce que tu as fait de ton lustre, ne baisse pas la tête, ne montre pas du doigt accusateur les barbares qui

te violent aujourd'hui. Et surtout ne répond pas,
car ton lustre, c'est toi-même qui l'auras défiguré.

Nous progressons à grande vitesse, pourtant, j'ai
le sentiment que nous patinons sur place tant le
même décor semble tourner en boucle. Sur les trottoirs jonchés de bris de verre et de caillasse, de
larges taches noires racontent les pneus qu'on a
brûlés, les barricades qu'on a prises d'assaut et les
hommes qu'on a lynchés avant de les asperger
d'essence et de les flamber. Une horrible odeur de
crémation flotte dans l'air chargé des signes avant-
coureurs de l'apocalypse.

Depuis que nous avons quitté l'école, nous
n'avons pas rencontré âme qui vive, hormis des
chiens fuyant les combats et des chats égarés. La
seule trace humaine qu'on a relevée est le corps
d'un soldat pendu à un réverbère, le pantalon aux
chevilles et le sexe tranché.

— C'est quoi, ce nuage de poussière loin derrière nous ? demande le général au chauffeur.

Le chauffeur ajuste son rétroviseur extérieur :

— Je crois voir des Shilka, mon général. C'est
sûrement le détachement du colonel Moutassim.

Le général retombe sur son siège, soulagé.

Au moment où il se tourne vers moi pour voir
si je suis content que mon fils nous rejoigne enfin,
des coups de feu retentissent. Sur la route, un
barrage rebelle. Les voitures en tête de file se
rabattent vers le sud, le convoi suit dans un ton-
nerre de mitraille. Un pick-up chavire sous

l'impact des balles, dérape et pique du nez dans un fossé. Ses occupants s'éjectent de la cabine, ripostent pour se couvrir ; ils sont abattus aussitôt.

Nous fonçons plein sud.

Le général me tend un casque et un gilet pare-balles :

— Les ennuis commencent, grogne Mansour.

Une formidable déflagration donne un coup d'arrêt à notre progression. Devant, des véhicules se déportent à droite et à gauche. Le deuxième 4 × 4 de ma garde rapprochée est en flammes.

Le lieutenant-colonel Trid klaxonne, un bras dehors pour faire signe aux chauffeurs de reprendre la marche.

Nous passons devant le 4 × 4 en feu. La portière arrière gît sur le bitume à côté d'un buste démembré. À l'intérieur de la cabine, les occupants brûlent sur leurs sièges, tués sur le coup.

— La route est minée, s'écrie le général.

— Une mine aurait défoncé la chaussée, dit Mansour, or, le véhicule est cloué sur place. C'est la signature d'une frappe aérienne. Un drone, sans doute.

Le véhicule du lieutenant-colonel Trid se met à la hauteur de la voiture en tête du convoi ; je le vois sommer le chauffeur d'accélérer, puis il laisse passer deux voitures et reprend sa place devant mon 4 × 4 blindé.

Derrière nous, une partie du convoi est à l'arrêt à cause des télescopages ou bien des problèmes mécaniques, l'autre moitié double n'importe comment pour tenter de nous rattraper.

Mansour pose sa main sur mon genou pour me réconforter.

— Retire ta patte, lui ordonné-je. Ne me touche surtout pas. Je n'ai pas oublié ton attitude de la veille.

Il ne retire pas sa main, presse un peu plus mon genou :

— Mouammar mon frère, mon maître, mon guide, nous allons mourir. Pourquoi nous quitter fâchés pour des futilités ?

— Nous allons sortir de ce guêpier, lui crie le général. Dieu est avec nous.

— Dieu a changé de camp, mon pauvre Abou Bakr, soupire Mansour. Il est de l'autre côté, maintenant, ne nous laissant que les yeux pour pleurer.

Je lui assène un coup de coude dans le flanc pour l'obliger à se taire :

— Ferme-la, oiseau de mauvais augure.

Derrière nous, c'est la débandade. Certains véhicules rebroussent chemin, d'autres se dispersent à travers les rues. Des détonations résonnent par intermittences d'abord, ensuite par rafales.

— Sommes-nous attaqués, général ?

— Je ne crois pas, Raïs.

— Nos hommes paniquent, explique Mansour. Ils tirent au hasard parce qu'ils ne comprennent pas ce qui se passe. Ils vont s'entretuer sans s'en rendre compte.

Le lieutenant-colonel a vu, lui aussi, la pagaïe en train de gagner le deuxième élément du convoi. Il fait demi-tour pour essayer de remettre de l'ordre dans la file, s'aperçoit que les choses dégénèrent, revient vers nous ; de la main, il invite notre chauffeur à le suivre.

Nous négocions un rond-point pour emprunter le sens inverse, rebroussons chemin jusqu'au véhicule touché par la frappe aérienne, prenons par une avenue à la chaussée défoncée. Le général me signale qu'un tiers du convoi s'est perdu dans la nature. Je me retourne pour vérifier et ne vois qu'une vingtaine de véhicules en train de slalomer derrière nous.

— Il faut remettre de l'ordre dans tout ça, général. Sinon, on va s'embourber.

— Il y a une caserne non loin, me signale-t-il.

— Allons-y.

Nous doublons le véhicule du lieutenant-colonel pour l'orienter sur la garnison en question. Mais l'enceinte militaire est occupée par les miliciens. Ces derniers nous accueillent à coups de mitrailleuses 12,7 mm et de roquettes antichars. Nous battons en retraite dans une débâcle indescriptible. Un vacarme assourdissant nous survole. J'ai juste le temps d'entrevoir deux chasseurs traverser le ciel comme deux météorites ; aussitôt deux bombes frappent de plein fouet la colonne. Derrière nous, des véhicules explosent dans une réaction en chaîne, semblables à des pétards

chinois. Un bras enflammé ricoche sur le pare-
brise de mon 4×4. Le convoi est dévié. Des
hommes abandonnent leurs voitures et fuient au
gré des esquives.

Des fûts bloquent l'avenue. Nous empruntons
une rue parallèle.

— Ils nous attirent dans un traquenard, nous
avertit Mansour. Faisons marche arrière.

— Vers où ? peste Abou Bakr.

— Vers l'hôtel Mahari.

— C'est trop risqué.

— C'est moins risqué que de foncer tête baissée
vers l'inconnu.

La voiture du lieutenant-colonel Trid freine.
Trop tard, elle ne peut pas éviter les herses étalées
sur la chaussée, tangue dessus ; mon 4×4 lui
rentre dedans. Le chauffeur et le général sont
assommés par les airbags. Mansour ouvre la portière, saute à terre, abat dans la foulée deux miliciens attirés par la collision. J'empoigne ma
kalachnikov et descends à mon tour du véhicule.
Le chauffeur, encore groggy, aide le général à s'ex-
tirper de son piège.

Nous nous mettons à cavaler au hasard. Mes
soldats ouvrent le feu à l'aveuglette. Le quartier est
infesté de rebelles. Nous sommes encerclés. Des
escarmouches se déclarent dans les ruelles. Aux
cris d'« *Allahou aqbar !* » répliquent des rafales
interminables. Le troisième élément du convoi,
commandé par mon fils, tente une percée pour

nous rejoindre ; il est stoppé par des tirs de mortier. Des geysers de feu et d'acier déchiquettent mes troupes. Mansour a disparu. Le lieutenant-colonel Trid a la figure en sang. Il me fait signe de baisser la tête et de raser un muret jusqu'à lui. Ma protection rapprochée s'organise autour de moi. Près de nous, de l'autre côté du muret, un pick-up surmonté d'une mitrailleuse lourde arrose les alentours. Les gaz qu'il dégage résorbent l'air. J'en ai la gorge irritée. Trid vise le tireur et lui explose le crâne. Nous prenons à revers le pick-up et nous le neutralisons au deuxième lancer de grenade. Je vois le conducteur se contorsionner à l'intérieur tandis que les flammes le dévorent.

Sur notre gauche, une cinquantaine de soldats tient à distance plusieurs groupes de rebelles. J'aperçois mon fils Moutassim conduire les opérations. Il m'a vu lui aussi et, de la main, me prie de rester où je suis. Les rebelles tentent de nous contourner pour nous interdire l'accès à un quartier résidentiel. Les fusillades s'enveniment. Des obus de mortier ciblent notre position pour nous en déloger. L'un d'eux tombe à une trentaine de mètres de notre abri ; il n'explose pas. Moutassim parvient à ramper jusqu'à moi. Je suis tellement heureux de le voir en chair et en os que je perds de vue le sniper embusqué en face. Une balle siffle à mon oreille et m'oblige à me coucher ventre à terre.

— Il faut s'arracher d'ici, dit mon fils. J'ai envoyé une compagnie faire diversion plus bas. Elle ne peut pas tenir plus d'une heure. Les rebelles n'arrêtent pas de recevoir des renforts. Des tanks vont débarquer bientôt et tout le secteur sera bouclé. Rabattons-nous vers le nord. C'est l'unique brèche qui nous reste.

Le sniper embusqué nous cloue au sol. Impossible de relever la tête. Moutassim prend deux gardes avec lui, longe le muret et se faufile à l'intérieur d'un jardin. Une grenade tonne, puis plus de tirs en face. Moutassim revient avec un garde, l'autre a été tué.

Nous nous hâtons vers une bâtisse qui saute avant que nous l'ayons atteinte, reculons sous les éclats d'obus. Des soldats nous font signe de les rejoindre dans une villa. Le général s'est foulé la cheville ; un garde l'aide à courir. La maison est à une cinquantaine de mètres, mais elle paraît au bout du monde. Moutassim me pousse devant lui. Nous réussissons à atteindre la villa en perdant deux hommes en chemin. Les rebelles nous ont découverts ; ils convergent vers notre position de repli, des camionnettes lourdement armées en appui. Aux balcons, les soldats tentent de nous couvrir ; ils sont balayés par une salve. Nous entrons dans la villa qui croule déjà sous un déluge de projectiles. Les fenêtres sont pulvérisées, les murs s'émiettent sous les balles de gros calibre. Des obus se mettent à pleuvoir, transformant notre abri en enfer. La poussière et la fumée saturent la demeure. Les hurlements des blessés me parviennent de l'étage. Un homme titube en haut de l'escalier, un bras arraché, le visage noirci ; il s'écroule et dégringole les marches jusqu'au rez-de-chaussée, roule à deux pas de moi, m'adresse une grimace et rend l'âme, les yeux exorbités.

Les rebelles sont maintenant tout près, certains ont escaladés le mur de l'enceinte et rampent dans le jardin. Ma garde les mitraille.

Moutassim m'informe que la bâtisse ne résistera pas aux mortiers et aux mitrailleuses antiaériennes, que nous devons évacuer les lieux.

— Je pars en reconnaissance, dit-il. J'ai vu des vergers de l'autre côté. Tenez bon jusqu'à mon retour.

Il désigne une escouade pour l'accompagner et sort par la porte de service. Je ne le reverrai jamais plus. Quelques minutes plus tard, seuls deux hommes de son groupe reviendront.

— Le colonel a été blessé, me dit l'un d'eux.

— Et vous l'avez abandonné ?

— On n'a rien pu faire, monsieur. Nous avons perdu six hommes pour le récupérer, mais les rebelles l'ont capturé vivant.

Je n'ai plus envie d'attendre quoi que ce soit. Tout me paraît dénaturé, saugrenu et inutile. Survivre ou mourir, quelle différence ? Mon fils est entre des mains barbares. Je n'ose même pas imaginer le sort qu'on lui réserve. Une rage insondable me tenaille. Le général comprend que je suis en train de renoncer à tout, au combat, à la résistance, à la fuite. Il me saisit par le bras et me traîne derrière lui vers la porte de service. Je cours sans m'en rendre compte ; je me fiche de ce qui pourrait m'arriver. Je n'ai même pas conscience des tirs qui nous pourchassent.

Je distingue vaguement des champs devant moi. Mon casque se décroche, tombe par terre ; je ne le ramasse pas. Je sais seulement que je cours, que ma poitrine brûle, que mon cœur est sur le point de rompre.

Des rebelles nous interceptent sur un terrain vague. Mes gardes me cachent derrière une butte. Les rafales s'enchaînent. Un de mes hommes tombe à la renverse, la main arrachée. La grenade qu'il cherchait à lancer contre nos assaillants a percuté le parapet avant de revenir exploser au milieu de notre groupe. Le général a reçu des éclats ; il gît à côté de moi, le ventre ouvert, les tripes dehors. Il veut me dire quelque chose, n'y arrive pas. Son visage vire au gris cendré, sa bouche se fige ; je crois qu'il vient de mourir.

Tout ce qui commence sur terre doit s'achever un jour, c'est la loi.

La vie n'est qu'un rêve dont notre mort sonne le réveil, se consolait mon oncle. *Ce qui compte n'est pas ce qu'on emporte, mais ce qu'on laisse derrière soi.*

Je me lève, retire mon gilet pare-balles, le jette par terre, abandonne mon fusil sur place et me mets à courir à travers champs en priant qu'une rafale me fauche et me catapulte loin, très loin de ce monde de dégénérés.

Une grosse canalisation de drainage agricole s'ouvre devant moi. J'ignore pourquoi j'ai choisi de me cacher dedans.

16.

Des personnes s'approchent à vive allure, passent à proximité de mon refuge, s'éloignent. Mes mains tremblent ; mes genoux menacent de se dérober ; la course éperdue m'a épuisé. Je m'accroupis dans la pénombre, pris de vertige et de nausée ; les battements de mon cœur résonnent si fort que j'ai peur qu'ils alertent mes poursuivants.

J'ai honte du gibier que je suis devenu, moi, Mouammar Kadhafi, la bête noire des tout-puissants ; j'ai honte d'avoir fui devant des morveux et couru comme un forcené à travers champs ; j'ai honte d'être réduit à me cacher dans une canalisation, moi qui tapais du doigt sur un pupitre de l'ONU pour mettre en garde les présidents et les rois.

J'ai envie de pleurer, les larmes ne viennent pas ; j'ai envie de sortir à l'air libre et de crier : « Je suis là » ; je n'ose pourtant pas remuer un orteil. Ma vaillance de naguère m'a faussé compagnie, mon charisme suicidaire n'est plus qu'une vieille histoire.

Je me croyais prédestiné à une fin somptueuse. Lorsqu'il m'arrivait de songer à la mort, je me voyais m'éteindre sur mon lit de patriarche, entouré de ma famille et de mes plus fidèles sujets. J'imaginais mon corps exposé au palais présidentiel orné de couronnes et d'étendards, des souverains et des officiels venus des quatre coins de la planète observer de longues minutes de silence devant ma dépouille fleurie, mon cercueil sur un char drapé d'oriflammes défiler sur les boulevards de Tripoli suivi par des millions de personnes inconsolables. Au cimetière plein à craquer, j'entendais les imams déclamer les sourates les plus bouleversantes pour le repos de mon âme et, aux pelletées de terre en train de me ravir à l'affection de mon peuple, répliquer des centaines de coups de canon afin d'annoncer au monde entier que l'inoubliable Mouammar n'est plus.

Je me trompais.

Si seulement j'avais écouté Hugo Chávez, qui m'offrait sa protection ; à l'heure qu'il est, je serais quelque part au Venezuela à peaufiner mes vieux jours en toute quiétude au lieu d'attendre mes bourreaux au fond d'un égout. Comment ai-je pu être sot à ce point ?

L'orgueil est allergique à la raison. Quand on a dominé les peuples, on s'oublie sur son nuage. Mais qu'a-t-on dominé au juste ? Pour aboutir à quoi ? En fin de compte, le pouvoir est une méprise : on croit savoir et l'on s'aperçoit qu'on a tout faux. Au lieu de revoir sa copie, on s'entête à *voir les choses telles qu'on voudrait qu'elles soient*. On gère l'inconcevable du mieux que l'on peut et on s'accroche à ses lubies, persuadé que si on lâchait prise, ce serait la descente aux enfers.

Et voilà que, paradoxalement, j'amorce la chute pour *ne pas avoir* lâché prise.

Je fixe la lumière au bout du tunnel, la respiration coupée.

Je refuse de penser à mon fils, à ce que je vais moi-même subir, fais le vide dans ma tête ; impossible de me situer au cœur de ce maelström d'angoisses.

Les minutes passent.

J'entends des rafales qui s'intensifient, des roquettes qui ripostent aux grenades, des véhicules qui vont et viennent dans le crissement de leurs pneus.

Je suis seul.

Seul au monde.

Abandonné par mes anges gardiens et par les marabouts qui me prédisaient mille victoires pour quelques zéros de plus sur leur chèque.

Où sont passés mes ouailles, mes amazones et mes inconditionnels qui s'autoflagellaient en public pour que leur dévouement soit manifeste... ? Volatilisés, pfuit ! évanouis dans la nature. Ont-ils

vraiment existé ? Et mon peuple, jadis acquis à ma
cause, qui se tenait derrière moi pour le meilleur
et pour le pire, qui avait prêté le serment de me
suivre partout où la Voix me conduirait, qu'espère-
t-il élever par-dessus mes ossements ?...

Mon peuple m'a menti depuis le début, depuis
ce matin où à la radio de Benghazi j'ai brisé ses
chaînes et lui ai rendu sa dignité. Il ne m'a jamais
aimé, mon peuple ; il n'a fait que me flatter pour
mériter mes largesses, à l'instar de mes courtisans,
de mes proches et de mes putains.

J'aurais dû m'en douter : un souverain ne peut
pas avoir d'amis, il n'a que des ennemis qui com-
plotent dans son dos et des opportunistes qu'il
réchauffe contre son sein comme des serpents.

J'aurais dû écouter Bassem Tanout aussi, un
poète libyen que j'ai connu, il y a très longtemps,
à Londres durant mon stage au British Army Staff.
C'était un électron libre, une belle personne
franche comme un rire d'enfant. Il vivait en exil et
n'avait pour patrie que de vieux livres racornis et
une rame de papier qu'il sillonnait de vers révoltés.
Il était rentré au pays au lendemain du coup d'État
et nous avions continué de nous rencontrer. Les
premières années de mon règne, il venait régulièrement chez moi, à la maison. Puis, ses visites
s'étaient espacées. Je ne le voyais plus. Il déclinait
mes invitations officielles, ne répondait pas à mes
lettres. J'en avais déduit qu'il lui était arrivé
malheur et j'avais lancé des recherches pour qu'on

le retrouve. Une nuit, mes agents me l'avaient ramené. Le poète ne payait pas de mine, il était aussi avachi que ses habits, sentait l'alcool à des lieues à la ronde et avait la tremblote des drogués en manque. Quand je lui avais demandé s'il avait des problèmes, il m'avait rétorqué que *son* problème, c'était moi : « Tu me déçois, Mouammar, avait-il proféré du haut de son ébriété. Tu es en train de renverser de ta main gauche ce que tu as bâti de ta main droite. Ne te fie pas aux clameurs du peuple. Le peuple est un chant de sirène. Sa ferveur est une addiction pernicieuse. Elle est le vice par excellence des ego exaltés, leur nirvana d'un soir et leur perdition programmée. » J'avais été tellement blessé par ses paroles que je l'avais chassé hors de ma vue. Pendant des semaines, ses reproches m'avaient obsédé. Pour les conjurer, j'avais cadenassé le poète dans une basse-fosse. Trois jours après son arrestation, les geôliers l'avaient découvert pendu dans sa cellule, un quatrain d'Omar Khayyâm sur le mur en guise de testament.

Maintenant que j'y pense, tandis que les ovations d'hier se muent en huées d'arène, Bassem Tanout aura été le seul et unique ami que je n'aie jamais eu.

D'autres personnages me reviennent en mémoire. Plus éclopés les uns que les autres. Ils foulent les dalles qui pavent la cour des bagnes où je les ai expédiés. Tous ont le même regard pour moi, le regard des allers simples, de ceux qu'on ne reverra plus. Celui-là était ministre, il a fini au bout d'une corde. Celui-ci un dissident, il a succombé à la torture. Ils étaient légion à croupir dans mes cachots pour ne pas avoir été dignes de ma confiance ni de ma charité. Ceux-là furent mes ennemis. Ils n'ont eu que ce qu'ils méritaient. Mais le peuple, *mon* peuple, cette masse dont j'ai accouché au forceps en me mordant les lèvres, que j'ai magnifiée dans chacun de mes discours et élevée dans le concert des nations, quel malin l'a-t-il possédée pour que, du jour au lendemain, sans crier gare, elle fasse abstraction de ce que j'ai édifié pour elle et décide de me crucifier sur mon propre piédestal ?

Je ne regrette pas d'avoir sévi.

C'était légitime et nécessaire.

Un guide, même investi d'une mission messianique, ne tend pas l'autre joue s'il a la charge officielle d'un pays. Au contraire, s'il tient à remplir pleinement sa fonction, il lui faut couper la main qui s'est portée sur lui, quand bien même la gifle viendrait de son propre père. De ce côté-là, j'ai la conscience tranquille, la satisfaction du devoir accompli. J'ai tué, torturé, terrorisé, traqué, décimé des familles – je n'avais pas d'autre option. Mais je n'ai pas fait du tort aux innocents. Je n'ai puni que les coupables, les traîtres et les espions. Ceux-là, je suis prêt à les affronter le jour du jugement dernier et je les obligerai à baisser la tête, car ils ont fauté... Le peuple aura-t-il l'audace de me regarder en face dans la cour du Seigneur ? Qu'aura-t-il à répondre lorsqu'il lui sera demandé : « Qu'as-tu fait de notre élu ? »... Les mots lui manqueront comme lui manquera le courage de me regarder dans les yeux. Au diable le repentir quand il engendre la damnation. Qui brûle ses chances aura brûlé tous les pardons. La Libye ne verra plus le jour illuminer sa route ; elle n'ira nulle part cueillir des soleils, puisque la nuit sera sa destinée.

Soudain, un craquement... quelques cailloux dégringolent dans le fossé, puis une ombre hachure le halo blanc au bout du tunnel. Je distingue d'abord une arme, puis une tête qui se penche... *Il est là ! Je l'ai trouvé ! Il est là, mon commandant...* Le pas de course se rapproche de nouveau. Des rebelles sautent dans le fossé, le canon braqué sur moi. Ils n'osent pas m'approcher et restent à bonne distance, indécis et ahuris.

Un individu en tenue para-commando débarque.

— Où est-il ?

— Là-dedans, mon commandant. Il est accroupi au fond, à gauche.

Le commandant enlève sa casquette, m'observe en silence.

— Je n'en crois pas mes yeux, s'exclame-t-il. C'est bien toi ? Ou ton sosie ?

Il avance d'un pas, puis d'un deuxième, avec la précaution d'un démineur s'aventurant sur un champ de mines. Il a peur de s'approcher davantage, incline la tête comme s'il n'en revenait pas. Il lui faut du temps pour être certain de ne pas halluciner.

— Non, c'est bien lui, s'écrie-t-il. C'est bien Mouammar Kadhafi. Il n'y a que lui pour finir ainsi : fait comme un rat... comme un rat d'égout au fond d'un caniveau.

Derrière lui, on se passe le mot : *C'est Kadhafi... C'est Kadhafi...*

Le commandant écarte les bras :

— Pour rien au monde je n'aurais manqué ça. Quelle image, quelle morale ! L'homme qui croyait chevaucher les nuages est pris au piège dans une vieille canalisation... C'est le retour aux sources, frère Guide. Tu es né d'une crotte de dromadaire et tu vas crever dans ta propre merde... Amr, hurle-t-il à l'adresse d'un compagnon, sors ton portable et filme-moi cette exceptionnelle tombée de rideau.

Des ombres commencent à essaimer au bout du tunnel. Des téléphones portables s'allument pour immortaliser la scène.

Le commandant laisse quelques flashes zébrer le tunnel avant de lever la main pour mettre fin au cérémonial. Il tord le doigt pour me sommer de le rejoindre :

— Amène ta carcasse par ici, frère Guide. Il me tardait de te serrer dans mes bras jusqu'à te faire sortir l'urine par le trou du cul.

Je suis plus choqué par sa grossièreté que par ma capture.

— Venez me chercher, le défié-je.

— On va se gêner.

— Il est peut-être armé, avertit un rebelle en me mettant en joue.

— Le frère Guide n'a pas besoin de s'encombrer d'une arme, dit le commandant. La Force est avec lui.

Des rires sardoniques saluent l'impertinence du chef. Aussitôt, une escouade se jette sur moi. J'ai le sentiment de me désintégrer.

On me pousse hors de la canalisation. Des hommes armés me cernent dans un silence sidéral. Ils ne bronchent pas, pétrifiés d'incrédulité. Pour bon nombre d'entre eux, c'est la première fois qu'ils me voient de si près. Je suis persuadé que si je venais à me racler la gorge, ils déguerpiraient sans se retourner. La majorité de mes assaillants est composée de gamins à peine plus hauts que leur fusil, absolument ridicules dans leur harnachement de guerriers. Certains détournent les yeux, incapables de soutenir mon regard ; d'autres ont du mal à refréner les tics sur leur visage.

Alertées de ma capture, des cohortes de rebelles arrivent en courant et en tirant en l'air pour que la fête commence. *Allahou aqbar... mort au taghout... Oussoud Misrata, les lions de Misrata...* En quelques minutes, ils sont plus d'une centaine à s'agglutiner autour de moi et à se coudoyer ferme pour voir la bête curieuse de plus près.

On me bouscule et on me traîne à travers champs, on me crache dessus, on me promet les pires sévices. Je perds une chaussure, bute sur les pierres, avance sous les coups de crosse...

Un énergumène hirsute surgit devant moi, me gifle dans la foulée.

Je lui souris :

— Je te pardonne.

— Moi pas, espèce de cinglé. Personne autour de toi ne te pardonne.

— Qu'est-ce qu'il a dit ? demande-t-on derrière.

— Qu'il nous pardonne.

— Il est culotté. Il se prend encore pour Dieu le Miséricordieux.

Les langues se délient, des moqueries et des quolibets fusent puis, pareil à un feu de steppe, le brouhaha se propage, s'enfle de cris, d'appels au meurtre, devient chahut puis démence tonitruante. Déjà, un millier de singes hurleurs déferlent sur moi telle une crue de bave. Je ne vois que des bouches laiteuses en train de brailler, des yeux injectés de sang, des mains qui cherchent à me broyer. Les hommes chargés de m'escorter sont dépassés. Ils cognent à bras raccourcis sur leurs camarades pour les empêcher de me toucher, en vain. Le commandant a beau sommer ses troupes de reculer, il ne contrôle plus rien. Dans la frénésie ambiante, malheur à celui qui trébuche. J'essaye de marcher droit, la tête haute comme l'exigent mon rang et mon aura, mais les ronces ont transformé mon pied nu en une braise qui me force à sautiller. *C'est ça, fils de pute, saute comme à la marelle... Qu'est-ce qui lui prend ? La douceur de ses tapis lui a-t-elle fait oublier celle de la terre nourricière... ? Je veux lui arracher les burnes pour les conserver dans du formol... Qu'est-ce qu'on attend pour le pendre ? Il mérite qu'on l'égorge dans une rigole... Il faut l'asperger d'essence et le flamber... Chien... Enculé... Sale bâtard...* Dans le délire qui m'assiège, je ne vois que haine et malédiction. Les visages se confondent dans une houle obscure que le blanc des yeux enfaîte d'écume vénéneuse. On m'arrache mon turban, mille mains s'abattent sur mon crâne ; on m'arrache un pan de mon pantalon, mille doigts me pincent les fesses, profanent mon intimité ; on m'arrache un cheveu, mille crachats m'éclaboussent, mille gosiers infects réclament ma peau.

Je refuse d'admettre ce qu'il m'arrive ; il s'agit d'un mauvais rêve. Tout y est absurde, démesuré, incongru ; tout me paraît surréaliste. Et ces gueules hideuses qui bavent sur moi, sont-elles humaines ? Et ces bras tentaculaires qui ont l'air de surgir des ténèbres, comment font-ils pour m'atteindre dans la forêt inextricable qui m'entoile ? *Montre-toi, Van Gogh. Pour l'amour de ton art, montre-toi, que je me réveille en sursaut. Je veux retrouver le faste douillet de mes palais, ma valetaille obséquieuse et mes harems enchantés...* Van Gogh ne se montre nulle part. Je ne rêve pas. Mon cauchemar est aussi réel que le sang sur mon front. Je n'ai pas senti le coup de crosse qui vient de me défoncer le crâne. D'ailleurs, je ne sens plus rien. Ma perception de ce qui se passe est confuse, j'ai le sentiment bizarre de me détacher d'une réalité pour déboucher sur une autre où je n'ai pas le moindre repère. On dirait que la dose d'héroïne administrée la veille commence enfin à faire son effet. Je suis en lévitation, porté par la férocité d'un peuple que j'ai tant chéri et qui se prépare à me dépecer à mains nues.

Les vociférations tourbillonnent en moi. Je suis dans les vapes. Une épave ballottée par les flots déchaînés. *Accrochons-le à l'arrière du pick-up et traînons-le sur le bitume jusqu'à ce que ses chairs fondent sur la chaussée.* Les coups et les insultes s'acharnent sur moi. Je ne me protège pas. Cloîtré dans mon hébétude, je me laisse dériver vers mon destin, la tête couronnée d'épines, la figure en sang, semblable à Issa le Christ ployant sous sa croix, sur le chemin du parjure.

Je n'ai pas peur.

Mes émotions se sont émoussées.

J'ai la vague impression de graviter à la périphérie des choses, que l'ensemble de mes sens m'a déserté.

On me jette à l'arrière d'une camionnette qui a du mal à se frayer un passage dans le tumulte. Ses klaxons résonnent en moi comme les clairons de la Révélation. Je ne suis plus de chair et de sang, je suis la tragédie, la mise à mort elle-même ; je n'éprouve même pas de pitié pour ce peuple qui court à sa perte en croyant rattraper la camionnette qui m'emmène vers d'autres furies.

Le véhicule s'arrête. Des hordes sauvages lui barrent la route, l'engloutissent. Je suis happé, écartelé puis jeté en pâture aux chiens et aux vauriens. Des serres m'arrachent mes habits et la peau avec. Quelqu'un m'enfonce une baïonnette dans l'anus. Le lynchage s'enclenche ; c'est parti pour de bon cette fois. On m'effeuille, on m'écorche vif, on me dévore cru. Je ne me débats pas, je me laisse tailler en pièces sans gémir et sans implorer personne, stoïque et digne comme s'abandonne à son sort le vieux lion livré aux hyènes. La curée atteint son paroxysme. Des nuées de vautours se disputent mon corps. *Prenez-le, je vous le cède volontiers ; déchiquetez-le, dépiautez-le ; vous aurez raison de mes membres, de mes organes, de mes fibres, mais mon esprit vous survivra. Vos huées me glorifient, mon supplice est mon salut. Seuls les êtres d'exception finissent ainsi, dans un bain de foule.* Les coups redoublent de frénésie maintenant que je suis totalement nu, des mains fourragent dans mon pubis, m'arrachent des poils par poignée, triturent mon sexe, froissent mes testicules, griffent mon dos, violentent mon rectum ; je ne sens rien, je suis hors de portée des lyncheurs et de leur voracité cannibale. Expurgé de toutes les toxines, je n'ai plus ni colère ni haine. J'appartiens à l'Esprit qui ne doute pas, que rien n'étonne et qui ne peut s'emporter car la colère est un aveu de faiblesse – et quel est ce dieu qui fléchirait devant une bêtise humaine ? J'ai dépassé le stade des hommes, de ces êtres périssables pétris d'orgueil et d'erreurs. Je leur lègue mon enveloppe charnelle en guise de ballot où sont inventoriées leurs propres misères et, débarrassé des craintes et des contraintes, je me prépare à voler vers les cieux éternels, mes péchés lavés dans mon sang, expiés dans mon dernier souffle, car je meurs en martyr pour renaître à la légende. Je ne suis plus un Raïs, je suis un prophète ; ma déchéance est mon engrais, je pousserai dans les temps futurs plus haut que les montagnes.

Soudain, au milieu de la tourmente, en levant les yeux, je vois le ciel par-dessus les masques répugnants qui salivent sur moi. L'espace d'une fraction de seconde, il me semble que la lune pleine s'est substituée au soleil. Dans un ultime soubresaut, je lance une prière au hasard : *Dieu, pardonne-leur leurs offenses comme je les leur pardonne, car ils ne savent pas ce qu'ils font...*

Un coup de feu part. À bout portant. Il est pour moi. Mon coup de grâce. Le Seigneur a décidé d'écourter mon tourment. Je savais qu'Il ne m'abandonnerait pas. Dieu n'abandonne pas ses élus ; Il fait de leur fin le commencement d'une foi nouvelle, de leur souffrance l'épreuve de la transcendance...

Je tombe au ralenti par terre, libéré de mes attaches, soulagé de mes méfaits, délivré de mes remords ; je renais de mes blessures, neuf comme une âme qui vient de sortir du ventre de sa mère.

Lentement, les cris s'éteignent, les uns après les autres, puis les visages, puis la lumière du jour. Je me meurs, mais mon empreinte demeure. Pour avoir marqué les consciences, je suis destiné à habiter la mémoire des peuples, à surfer sur les âges qui filent à toute vitesse vers l'infini, à les jalonner de mon souvenir jusqu'à ce que l'Histoire devienne ma pyramide. On me regrettera ; on me chantera dans les écoles ; mon nom sera gravé sur le marbre des stèles et sanctifié dans les mosquées, mon épopée inspirera les poètes et les dramaturges, les peintres me consacreront des fresques plus vastes que l'horizon ; je serai vénéré, pleuré lors des contritions, et j'aurai autant de saints que de suppôts, ainsi qu'il sied aux guides d'exception.

Je tire ma révérence ; je suis déjà de l'autre côté des choses et des êtres, là où aucun sacrilège ne s'opère, où aucune méprise, aucun malentendu ne

saurait me faire croire que l'amour d'un peuple
est un serment indéfectible que rien ne pourra
rompre...

Mon âme s'extirpe de mon corps.

Je plane par-dessus la poussière, vois l'ambu-
lance se frayer un passage dans la cohue pour
m'emmener vers j'ignore quel cirque d'horreur, les
rebelles célébrant leur messe ignoble, d'autres en
train de brandir en guise de trophées les pans de
mes vêtements ensanglantés ; je vois la gomme des
pneus sur le bitume, les culasses qui scintillent au
soleil, les bannières traîtresses claquant au vent,
mais je ne perçois ni le tintamarre de la liesse ni le
bruit des rafales que les fêtards lancent vers le ciel.

Je vois tout, la sueur sur les visages tendus
comme des crampes, les yeux à moitié révulsés, la
bave épaisse aux commissures des lèvres, la foule
qui se félicite à tour de bras, les voyeurs en train
d'immortaliser avec leur portable l'instant de
toutes les dérives, mais je n'entends rien, pas
même le souffle cosmique qui m'aspire.

C'est alors que ma mère m'interpelle à travers
les mirages. Sa voix me parvient du fin fond du
Fezzan rongé par le désert. Je la revois se prenant
les tempes entre les mains, excédée par mes turbu-
lences de gamin instable : *Tu n'écoutes que d'une
oreille, celle que tu prêtes volontiers à tes démons,
tandis que l'autre reste sourde à la raison...* Et

ce n'est qu'à cet instant précis, juste avant de me dissoudre parmi les volutes du néant, que je comprends pourquoi ce diable de Van Gogh à l'oreille mutilée est entré par effraction dans mon sommeil et dans ma folie.

Mais il est trop tard.

*Cet ouvrage a été composé et mis en pages
par Étianne Composition
à Montrouge.*

Impression réalisée par

*La Flèche
en août 2015*

Dépôt légal : août 2015
N° d'édition : 55061/02 – N° d'impression : 3013252
Imprimé en France